ROBIN JAC — 'Y FELLTEN GOCH'

Cofiant gan
Arthur Thomas

I
WIL SAM
am gadw'r traddodiad motobeics
yn fyw.

Argraffiad cyntaf: Tachwedd 1994

Rhif Llyfr Safonol Rhyngwladol:
0-86381-296-1

Clawr:
E. Meirion Roberts

Argraffwyd a chyhoeddwyd gan Wasg Carreg Gwalch,
Iard yr Orsaf, Llanrwst, Gwynedd.
☎ *(0492) 642031*

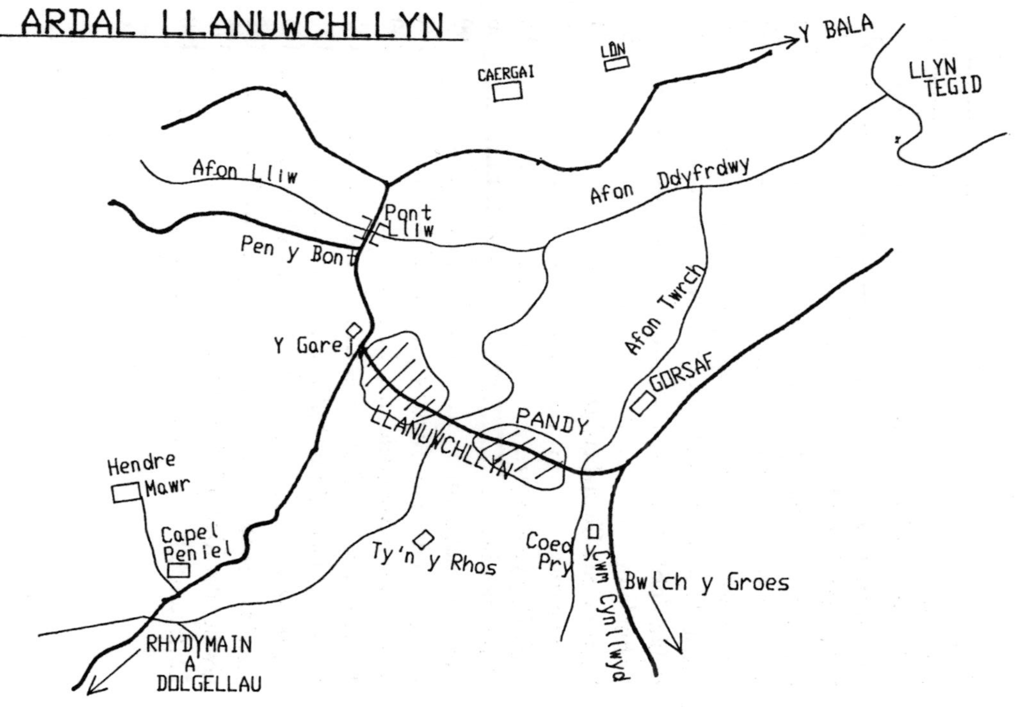
ARDAL LLANUWCHLLYN
Y BALA
LÔN
CAERGAI
LLYN TEGID
Afon Lliw
Afon Ddyfrdwy
Pont Lliw
Pen y Bont
Afon Twrch
Y Garej
GORSAF
PANDY
LLANUWCHLLYN
Hendre Mawr
Capel Peniel
Ty'n y Rhos
Coed y Pry
Cwm Cynllwyd
Bwlch y Groes
RHYDYMAIN A DOLGELLAU

Cynnwys

Rhagair 7
Cyflwyniad 12
Y Beirdd yn Cofio 15
Dyddiau Cynnar 17
Y Bachgen Castiog 22
Gwaith a Chynhaliaeth 26
Y Pysgotwr a'r Potsiwr 38
Y Saethwr a'r Heliwr 48
Saethu Colomennod Clai 52
Robin a'r Blaid 54
Yr Englynwr 62
Ymrysonau a Chyngherddau 71
Y Llythyrwr 75
Ffrae Englyn Bangor 80
Y Motobeiciwr 86
Teithio Gyda Robin 90
Paratoi ar Gyfer Ynys Manaw 104
Hanes y Rasys Motobeics 109
Blynyddoedd y *T.T.* 145
Sut Reidar Oedd Robin? 157
Y Cymeriad 161
Diwedd y Daith 168
Gwaith Barddonol R.J. Edwards 172
Llyfryddiaeth 190

Rhagair

Pan oeddwn i'n fachgen bach yn byw ym Mhenmachno ar ddechrau'r pumdegau, fe glywais fy nhad, a rhai eraill o'r pentref yn sôn am ryw 'Robin Jac', ac fe glywais yr enw ambell waith yn ystod y cyfnod hwnnw. Credwn am flynyddoedd wedyn, mai sôn am rywun o'r pentref a oedd, efallai, wedi symud i fyw yr oeddynt. Gwyddwn fod bachgen o'r enw Robin Jac yn byw yn y Cwm ond gan nad oedd yn fawr iawn hŷn na mi, yr oedd yn amhosib mai ef oedd testun eu sgwrs.

Cofiaf, hefyd, weld *Llyfr Mawr Hwyl*, ac ynddo yr oedd hanes y 'Robin Jac' hwn. Mi ddeellais wedyn mai reidar motobeic oedd o, yn dipyn o arwr, yn enwedig yn yr ardaloedd cefn gwlad Cymraeg eu hiaith a oedd yn taro ar blwyfi Penllyn. (Rwyf wedi cynnwys yr hanes allan o lyfr *Hwyl* yn y bennod ar Ynys Manaw, gan ddiolch i Ifor Owen ac E. Meirion Roberts am gael ei ddefnyddio.)

Dyna oedd diwedd y mater, neu felly y credwn i. Ychydig iawn a feddyliwn yr adeg honno y byddwn ymhen blynyddoedd â chysylltiad agos iawn â Robin Jac, a hynny trwy briodas. A dyna lle daeth y syniad a'r ysbrydoliaeth ar gyfer y llyfr hwn.

Roeddwn yn brysur yn gwneud rhywbeth arall ar y pryd, wrthi'n paratoi deunydd ar gyfer rhywbeth, pan ofynnodd fy mam-yng-nghyfraith, Mena Jones, a hoffwn gael papurau a phethau eraill a oedd yn perthyn i'w brawd, Robin, a dyma neidio at y cynnig. Roedd hi'n ormod o demtasiwn i wrthod y cyfle i gael chwilota drwy bapurau Robin Jac.

Pan gefais y papurau, roeddynt mewn rhyw hen gês bach, a hwnnw'n llawn o fân bapurau, yn gefn pacedi ffags a bocsys matsys, a rheiny'n frith o englynion. Roedd yma drysor gwerth ei gael, ond nid dyma'r cwbl a gefais. Mewn bag plastig, yr oedd llyfr sgrap wedi ei wneud o hen fagiau brown dal siwgwr wedi eu gwnïo at ei gilydd. Y tu mewn i'w gloriau yr oedd toriadau papurau newydd, yn lluniau ac yn adroddiadau o bob math, yn adrodd hanes ei yrfa rasio motobeics, gan ganolbwyntio ar ei gyfnod yn rasio ar Ynys Manaw.

Fedrwn i ddim gwrthod yr her; wedi'r cyfan onid oedd sylfaen y gwaith wedi ei osod? Roedd hanes y rasio motobeics yno, doedd ond angen holi rhai o'r bobl oedd ynghlwm â'r digwyddiadau. Gwyddwn fod llawer o bobl â diddordeb mewn motobeics — roedd Wil Sam wedi cenhadu lawer iawn yn y maes — ond pan ddeuthum i chwilota go iawn, cefais andros o agoriad llygad, wrth ganfod pa mor eang oedd y diddordeb, yn enwedig ym Mhenllyn ac ymysg y to hŷn oedd yn gyfoedion i Robin, neu'n ei gofio'n dda.

Peth arall sy'n rhyfeddod llwyr i mi yw sut y daeth y ffeithiau a'r chwedlau i blethu mor agos at ei gilydd. Bu'n rhaid ceisio didol y digwyddiadau ffeithiol gywir oddi wrth y chwedloniaeth a dyfodd o'u cwmpas. Rwyf wedi cynnwys rhai o'r straeon yma sydd â marc cwestiwn go fawr uwchben pob un, ond sydd gymaint yn rhan o Robin Jac erbyn hyn ag yw'r ffeithiau moel a geir amdano.

Mae'n debyg mai'r brif broblem ynglŷn â chasglu gwybodaeth am rywun a fu farw dros dair blynedd ar ddeg yn ôl, a dros gyfnod o dros hanner can mlynedd a mwy cyn hynny, yw fod cof pobl yn pylu. Er dweud hynny, cymaint oedd yr argraff a'r dylanwad a gafodd Robin ar y bobl yma fel bod llawer o'r straeon yn dal yn fyw iawn ac yn cael eu hadrodd hyd heddiw ym Mhenllyn. Yn wir, cefais fwy nag un person yn adrodd yr un straeon ond gydag amrywiaethau a briodolir i Robin yn hytrach na phyliad cof yr adroddwr. Gallai amrywio stori o'i dweud wrth wahanol bobol, ac fe fyddai ei fersiwn ef ohoni yn wahanol iawn i'r gwir yn aml. Mae enghraifft ardderchog o hyn yng nghyflwyniad Wil Sam. Dengys y ffeithiau moel (oddi ar dudalennau papurau newydd y cyfnod) mai yn y *Manx Grand Prix* yn 1935 y bu rhaid iddo newid plygiau lawer gwaith yn ystod un ras, ond yn ôl yr hyn a ddywedodd wrth Wil Sam, yn ystod y *T.T.* y digwyddodd. Roeddwn yn ddiolchgar dros ben fod cymaint o'i hanes wedi ymddangos yn y papurau, neu fe allai rhannau o'r gyfrol hon ymddangos yn bur gelwyddog.

Un hanesyn diddorol sydd yn dysgu llawer iawn inni am draddodiad llafar yw hanes y ddamwain a gafodd Robin ar Bont Lliw, Llanuwchllyn yn 1938. Bu nifer o bobl yn adrodd hanes y ddamwain wrthyf, rhai ohonynt yn llygad-dystion i'r hyn ddigwyddodd, eraill heb fod mor agos, ond a ddaethant yno wedi'r digwyddiad. Mae ffeithiau moel y ddamwain yn bur gyson ym mhob fersiwn o'r stori ond bod pob un a fu'n ei hadrodd yn ychwanegu darn newydd ati, yn union fel petaech yn gwneud jig-so. Pan gysylltodd Trevor Morgan, Porthaethwy â mi, cefais y 'darn cloi' yn y pos. Gwyddwn mai gwaith y gwylwyr oedd ei rybuddio os oedd car yn dod, felly pam nad oedd y gwyliwr ger y bont wedi rhoi rhybudd iddo? Ar ôl imi gael sgwrs gyda Mr Morgan, gwyddwn, wedyn, mai Robin ei hun oedd yn gyfrifol am weld i ochr draw y bont. Efallai mai'r hyn sydd ryfeddaf am y stori hon yw'r ffaith fod gwneuthuriad y motobeic a reidiai yn amrywio. Cawn gan Robin ei hun mai *Excelsior Manxman 250* oedd o, a dyna a ddywed Trevor Morgan hefyd. Ond clywais *Norton 500, Norton 350, AJS 350* yn cael eu henwi, hefyd. Petaech wedi gofyn, cyn clywed yr hanes yn cael ei adrodd, imi enwi un peth a fyddai'n gyson ym mhob stori, yna mae'n siŵr y byddai gwneuthuriad y motobeic wedi aros yn y cof ac y byddai pob un yn cofio hwnnw. Ond nid felly yr oedd hi.

Cefais gryn bleser wrth fynd o gwmpas Penllyn yn casglu, ar dâp yn bennaf, y straeon a adroddwyd ac yr adroddir amdano hyd heddiw. Tua diwedd Awst y llynedd, yr oeddwn yn cael paned yng Nghaffi'r Cyfnod yn y Bala pan glywais rywun yn adrodd stori am Robin Jac, ond nid wrthyf fi, ac yn sicr ni wyddai'r person a oedd yn ei hadrodd pwy oeddwn, na phaham fy mod yn yr ardal y diwrnod hwnnw. Profai hynny fy mod ar drywydd hanes rhywun a oedd yn dal yn fyw iawn yng nghof trigolion Penllyn ac y cawn ddigonedd o wybodaeth amdano. Ac ni'm siomwyd ychwaith. Oherwydd bu ei gampau yn ysbrydoliaeth i genhedlaeth o ieuenctid Penllyn ac fe fu ei falchder yn ei wlad a'i barodrwydd i ddangos hynny yn ysbrydoliaeth i lawer trwy Gymru gyfan.

Cyflwynaf y gyfrol hon i W. S. Jones, Rhoslan, neu Wil Sam fel yr ydym oll yn ei adnabod, gŵr a gyfrannodd lawer i'n hiaith a'n cenedl, ac a gadwodd y traddodiad motobeics yn fyw gan ddangos inni pa mor bwysig yw arwr o Gymro ym mhob maes. Bu'n garedig iawn yn ysgrifennu cyflwyniad i'r llyfr hwn, gan osod ei stamp arno, llyfr y gallai ef fod wedi ei ysgrifennu yn llawer mwy graenus na mi. Hoffwn ddiolch hefyd i'm mam-yng-nghyfraith, Mena Jones, Machynlleth am roi cychwyn i'r peth i gyd ac am ei chymorth yn ystod y paratoi; i'w chwaer Mai Jones, sydd yn dal i fyw yn Hendre Gwalia, Llanuwchllyn — cartref olaf Robin, i Dewi a Carys Lake, Porthmadog, am ddarllen a chywiro'r blerwch, i Myrddin am ei barodrwydd i ddod â'r llyfr i olau dydd, i Glyn Owen, sydd bellach yn athro yn Ysgol Dyffryn Nantlle am wneud y map sydd, gobeithio, yn rhoi rhyw fath o syniad i chi am ardal Llanuwchllyn, i John Osborne, ysgrifennydd Cymdeithas Colomennod Clai Cymru am fod mor barod â'i gymorth, ac i'r canlynol a fu'n rhannu â mi ar bapur neu ar lafar, eu hatgofion am Robin Jac:

John Gittins Owen, y Bala
Wyn Gittins Owen, Llanuwchllyn
Norman Griffiths, y Bala
John (Jac) Lloyd, Llandderfel
Gwyn Williams, Corwen
Harold Morris, Llanuwchllyn
Megan Davies, Llanuwchllyn
Alon Morris, y Bala
Evan Roberts, Llanuwchllyn
Ifor Owen, Llanuwchllyn
E. Meirion Roberts, Hen Golwyn
Alan Llwyd, Abertawe
Elfed Roberts, Penrhyndeudraeth (am gael mynd trwy ei ôl-rifynnau o'r *Ddraig Goch*)
Elwyn Roberts, Rachub, Bethesda
Dei Edwards, Llanuwchllyn
Mered Jones, Llanuwchllyn
Dewi Bowen, Rhyduchaf, y Bala

Iori Roberts, y Bala
Elfyn Llwyd, Llanuwchllyn
Heulwen Roberts, Rhydymain
Delwyn a Lil Phillips, Aberystwyth
Emrys Jones, Llangwm
Trevor Morgan, Porthaethwy
Brian O'Neill, Borth-y-gest
Tecwyn Lloyd, Glanrafon, Corwen
Emlyn Jones, Blaenau Ffestiniog

Diolch yn ogystal i Hefin Edwards, Caerfyrddin, am ganiatâd i ddefnyddio rhan o'r deunydd a gasglwyd ganddo pan yn paratoi rhaglen deyrnged i Robin a ddarlledwyd ar Radio Cymru yn fuan wedi ei farwolaeth.

Mae'n rhestr faith, ac fe allai fod yn fwy, ond diolch o galon i bob un, ac i'r rhai hynny a roddodd awgrymiadau imi neu fy arwain ar drywydd agweddau eraill o'i fywyd heblaw y rasio motobeics.

Arthur Thomas, Chwefror 1994

(Trist iawn yw gorfod cofnodi na wêl rhai o'r cyfranwyr y llyfr yn dod i olau dydd. Bu farw'r Dr Tecwyn Lloyd a Dei Edwards, yr ail a enwyd dim ond ychydig wythnosau wedi imi fod yn ei gartref yn cofnodi ei atgofion).

Cyflwyniad

Chydig, rhy chydig, o gwmni R.J. gefais i, dim ond dau lythyr, ambell sgwrs ar y teliffôn, a thair arall wyneb yn wyneb. Er hynny, rydw i'n teimlo fy mod i wedi cael ei nabod o yn o dda trwy ei wylio fo droeon dros glec ei egsôst, ac mae'r nabod hwnnw yn curo pob nabod. Hogia motobeic yn unig sy'n deall y nabod yna.

Mae dyn yn mynd yn hen er gwaetha'r sbôcs, ac yn dechrau amau mai tynnu ar ei ddychymyg y mae o yn hytrach na thynnu ar ei gof. Pa flwyddyn oedd hi, honno pan ruthrai'r 'Fellten Goch' o Lanuwchllyn i lawr Bray Hill gan ddiflannu dros y grwbi tua Quarter Bridge? 1949? '50? '51? Fedra' i ddim cynnig cofio, ond mi rydw i yn cofio R.J., y *mechanical marvel* ei hun yn dweud y stori. Tebyg i hyn — 'Ro'n i wedi cael hwyl eithriadol braidd o dda yn boreua' yn y practis, dim un caff gwag o'r dechra i'r diwedd, a'r beic yn cadw i fyny efo'r cyflyma. Ro'n i'n reit ffyddiog ac yn edrach ymlaen at y ras.

'Chefish mo fy siomi, chwaith. Fel yr oedd y ras yn mynd yn i blaen ro'n i'n codi 'ngobeithion lap wrth lap. Mi fedris gadw gwar yr un 'nillodd o fewn golwg drwy'r chwe lap gynta. Y ddwaetha setlodd fi. Mi chwipis dros Bray Hill, rownd Quarter Bridge a Braddan cystal â'r rhan fwya a gwell na llawar, ond pan ddois i i olwg Union Mills, mi deimlis f'injian yn cloffi, ac mi fuo raid i mi newid plwg cyn medru mynd gam ymlaen. Nid dyna'i diwadd hi, chwaith, mi fuo raid i mi newid plygia dair gwaith wedyn cyn mosod ar y mynydd . . . '

Er gorfod aros bedair gwaith i newid plygiau yn ystod y ras mi lwyddodd R.J., y Robin Gyrrwr ag oedd o, i gyrraedd y fflag

Wil Sam yn gwisgo lledrau Robin Jac

sgwariau du-a-gwyn yn nawfed mewn criw mawr, un o'r criwiau mwyaf a welwyd ar yr Ynys yn nosbarth y *250*.

'Oni bai i mi orfod stopio bedair gwaith i newid plwg mi fuaswn i'n bumed yn lle nawfed.' Mae'r gosodiad yna gin i ar ddu a gwyn, ac mi rydw i'n ei goelio fo am fy mod i'n *dewis* coelio.

Nid bychan o gamp ydi dod yn nawfed yn y *T.T.*, beth bynnag fo'r amodau. Dyna'r cwrs caletaf sydd ar gael, dau gant a thrigain o filltiroedd yn nyddiau Robin Jac, a'r rheini yn gymysgedd o droadau sydyn, gwastadoedd twyllodrus a mynydd unig.

Os ydw i'n cofio'n iawn, ffarmwr o'r Eidal o'r enw Ambrosini oedd yr 'un 'nillodd' y mae R.J. yn sôn amdano yn ei stori. Hwn enillodd y ras ar y *Benelli*. Beic hynod o sgit a llawn castiau o'r un wlad â'r joci oedd hwn, un efo tanc petrol doniol yr olwg oedd yn un â rhan o'r ffrâm. 'Dyna sut 'nillodd y cleiriach', yn ôl hen gyfaill o'r Garn, — 'doedd o ddim yn gorfod stopio mor amal i lenwi, yli!'

Rhydd i bawb ei farn a rhydd i bawb ei ffefrynnau. Mi faswn i wedi ildio fy mhres tocyn llong a mwy am gael gweld Robin Jac ar y llwyfan uchel hwnnw yn Douglas a'r siampên yn gawod o'i gwmpas. Ac ella basa fo wedi medru hawlio cornel yno oni bai am blygiau diffygiol a ffarmwr cyfrwys.

Prun bynnag, diolch am bob cip gawsom ni, griw bychan o Eifionydd, ar Robin Jac yn hedfan dros Bray Hill, yn cribo gwelltglas y Creg, ac yn cymryd tro Hillberry cystal â'r Diwc ei hun, a hynny cyn bod sôn am fraciau na ffyrc hidrolig ar y *Cotton, Rudge, Norton* a'r *Excelsior*.

Diolch amdanyn nhw, R. J. Edwards, Kenny Shepherd, Kevin Hughes, Jason Griffiths a phob Cymro arall sydd wedi ei mentro hi yn yr Eil o Man, a diolch yn bennaf oll i awdur y llyfr hwn am gymryd yn ei ben dur i roi hanes Robin Jac yn ddiogel ar ddu a gwyn.

Wil Sam

Ifas y Tryc

Un digrif ydyw Ifas — un a wêl
Ddoniolwch cymdeithas;
Hwyl a ry' i'r fydol ras
Ac mae hynny'n gymwynas.

R. J. Edwards

Y Beirdd yn Cofio

R. J. Edwards (Robin Jac)

Ar fodur beic carai Robin heicio
Ffwrdd yn unfryd ar gefnffyrdd ein henfro
Ym Manaw ei ddawn hylaw fu'n hawlio
Yn hynaws ennill o'r Ynys honno
Gwâr gymrawd a gwir Gymro — a llenor
Yn dygyfor, dawn hynod i'w gofio.

R. E. Jones, Llanuwchllyn

Er cof am R. J. Edwards (Robin Jac)

Edwinaist fel dy heniaith — a nychaist
O achos anobaith
Dy genedl; clywaist ganwaith
Y derw'n cau am dranc iaith.

Alan Llwyd

Wrth Fedd Robin

Haul Ionawr yn cilwenu, — a haen oer
Hen eira'n caledu;
I lannerch y trawsblannu
Daw'r lliwgar i'r ddaear ddu.

Hwn mewn cloeon yn llonydd? — Yn ei hoen
Taniai her hyd hewlydd;
Dôi â rhuad ar drywydd,
Cân fetel drwy'r awel rydd.

A hwn yw'r un a daranai — i ras
A fflach Draig i'w lifrai;
Rhoes hirnych frêc ar siwrnai
Ynysu hir pan nosâi.

Y llais hwn! Arllwysai unwaith — yn dân
Ar gildynnus gamwaith
Â thaeraf fin llythyriaith!
I ro mud daeth larwm iaith.

Mae y ffraethair enweiriwr — a welais
Yng Nghelyn uwch glasddwr?
Mae y llesg, ddigymell ŵr,
Y gwên-siriol gonsuriwr?

Anedifar edefyn — a ddaliai
Yr eiddilwch cyndyn;
Ond hawliodd y brwnt elyn
Ein Robin hoff erbyn hyn.

R. J. Rowlands

Arwr pob gyrrwr gwrol; — yn y Manx
Roedd y maes gwlatgarol.
Awch ei egr rym marchogol
A'i ddawn fydd yn fyw o'i ôl.

Gwynlliw Jones

Y Faner ddoe ar i fyny — yntau'n
Llawn anterth dros Gymru;
'Rôl creulonaf arafu
Heddiw'r fraith a roddir fry.

Tîm Ymryson y Parc

Holltai waun wrth felltennu — a rhyfyg
Yr haf yn ei yrru,
Nes i'r gaeaf arafu
Cyflymder y fenter a fu.

Elwyn Edwards

Dyddiau Cynnar

Ganwyd Robert John Edwards ar 23 Rhagfyr, 1910 ar fferm Hendre Mawr, yn y rhan honno o blwyf Llanuwchllyn a elwir yn Peniel, ar y ffordd rhwng Llanuwchllyn a Dolgellau. Saif y capel a rydd enw i'r ardal ar ochr y ffordd fawr, cyn cyrraedd hen bont y rheilffordd, ac i fyny ar y bryn y tu ôl i'r capel y saif Hendre Mawr. Ganwyd ei chwaer, Mena, yno hefyd ddwy flynedd yn ddiweddarach.

Yn 1914, symudodd Edward a Kate Edwards a'u dau blentyn i bentref Llanuwchllyn. Gweithiai ef fel porter yng ngorsaf drên Llanuwchllyn, rheilffordd a redai i Ddolgellau ac i'r Bermo, yr hon a gaewyd yn y chwedegau, ac fel Ted Porter yr adnabyddwyd ef yn y pentref. Yr oeddynt yn byw yn Nhyddynllan, neu Tŷ Pwmp ar lafar gan fod pwmp dŵr y pentref wrth ei ymyl (Henryd yw'r enw ar y tŷ heddiw). Cadwai Mrs Edwards siop yno, siop yn gwerthu dipyn o bopeth. Cyn hir, bu newidiadau yn y siop, a dechreuwyd gwerthu beiciau, lampau carbeid ac olew yn ogystal â'r nwyddau eraill. Datblygodd y busnes yn garej i werthu motobeics, a gwerthu petrol maes o law. Mewn tuniau dau alwyn y gwerthid y petrol ar y cychwyn, am swllt ac wyth (9c yn ein pres ni) y tun. Yn ddiweddarach, gosodwyd tanc yn y ddaear i storio'r petrol, gyda phwmp pwrpasol uwch ei ben i'w dynnu allan (nid y pwmp dŵr wrth gwrs!).

Mae'n edrych yn debyg fod petrol wedi mynd i waed Robin yn y dyddiau cynnar hynny, a hefyd, am fod gan ei dad ddiddordeb mawr mewn motobeics dechreuodd eu gwerthu a'u trwsio. Ond daeth cysgod y Rhyfel Mawr dros y fro i gyd, ac aeth llawer o'r hogiau ifanc i'r fyddin, a lleihaodd y galw am fotobeics. Yn ystod y cyfnod hwn cafodd Edward Edwards ddamwain ac o ganlyniad i'r ddamwain honno aeth ei droed yn ddrwg. Aed ag ef i'r ysbyty ac fe fu'n rhaid torri ei droed i ffwrdd gan ei bod wedi mynd yn rhy ddrwg i'w hachub. Bu adref am sbel, ond fel yr âi'r drwg i fyny ei goes, fe fu'n rhaid iddo ddychwelyd i'r ysbyty a thorri ei goes i ffwrdd o dan y penglin.

Dioddefai'n arw yn ystod y cyfnod hwn, ac am rai blynyddoedd wedyn. Ond doedd dim gwella i fod. Aed ag ef yn ôl i'r ysbyty a thorri gweddill ei goes i ffwrdd. Bu yn yr ysbyty am flynyddoedd ond yr oedd hi'n rhy hwyr i'w achub. Bu farw o ganlyniad i'r driniaeth a'i heffeithiau.

Cadwodd Kate Edwards y busnes i fynd am dipyn, cyn iddi ailbriodi gyda Gruff Jones. Tua'r un adeg y penderfynodd nain Robin nad oedd yn dymuno dal ati i ffermio'r Hendre Mawr, felly gan fod Gruff Jones yn awyddus i'w ffermio, penderfynwyd rhoi'r gorau i'r garej a'r siop a symud yn ôl i'r Hendre Mawr. Roedd Robin yn erbyn hyn. Pan ailbriododd ei fam, fe dorrodd ei galon braidd ac fe ddigiodd wrth Gruff, achos doedd Robin ddim eisiau gadael y garej a'r motobeics. Dyna oedd y prif reswm pam y bu i Robin benderfynu gadael yr ysgol a mynd i weithio yn y banc.

Yn ôl pob tystiolaeth, roedd Robin yn fachgen eithriadol o alluog. Yr adeg honno, roedd yn rhaid pasio ysgoloriaeth (y *scolarship*) os oeddech am fynd i'r Ysgol Uwchradd (Ysgol Ramadeg neu'r 'Cownti') heb orfod talu am hynny. Nid yn unig y bu i Robin basio, ond fo oedd yr uchaf allan o 400 o ymgeiswyr drwy sir Feirionnydd i gyd. O ganlyniad i'w lwyddiant, ar ddechrau'r dauddegau, fe aeth Robin i Ysgol Tŷ Tan Domen, y Bala.

Yno y cyfarfu'r diweddar Gwilym Rhys Roberts, Llangurig, ag ef am y tro cyntaf. Aeth Gwilym Rhys i'r 'Cownti' yn 1923. Roedd Robin flwyddyn yn hŷn nag ef, ac fe wyddai Gwilym Rhys am allu Robin.

Fe ddaeth y rebel allan yn Robin yn gynnar iawn. Er ei fod yn alluog, a dyfodol disglair o'i flaen, eto fyddai o byth yn gwneud ei waith cartref. Deuai gartref o'r ysgol, yna allan yn syth i sgota neu i saethu. Yn wir, yn ôl ei gyfoedion, doedd dim rhaid iddo wneud y

Dosbarth Ysgol Llanwuchllyn 1922.
Robin yw'r ail o'r dde yn y rhes flaen. Wrth ei ochr mae Jac Parry, Brynllech a fu'n gyfaill mawr iddo.

Robin ar wyliau yn ystod y Rhyfel pan oedd tua 14 oed

Robin a'i chwaer, Mena

gwaith cartref, yr oedd yn deall pob dim a roddwyd iddo gan ei fod mor alluog. Ond yr oedd gormod o wrthryfel yn Robin i gario mlaen â'i waith ysgol.

Pan ddaeth yr amser i benderfynu prun ai aros ymlaen yn yr ysgol i fynd am goleg, ynteu gadael, roedd sefyllfa cartref Robin wedi gwneud y penderfyniad drosto. Penderfynodd ddilyn ôl traed ei ewythr, a oedd yn gweithio mewn banc.

Nid oedd ei brifathro'n hapus iawn, chwaith. Gwelai ddyfodol disglair i Robin ac fe geisiodd ei gael i aros ymlaen yn yr ysgol, ac wedyn i fynd i'r brifysgol. Ond roedd Robin wedi gwneud ei benderfyniad, a'r banc oedd hi i fod.

Gan nad oedd yn ddigon hen i fynd i'r banc bu'n gweithio am gyfnod gyda chefnder ei fam, a chawn fwy am hynny eto.

Yn 1928 aeth Robin i weithio i'r banc yn Llandudno, ac mae'n hawdd iawn credu mai lle dienaid oedd o i rywun fel Robin, achos dyn yr awyr agored oedd o. Bu'n rhaid iddo sefyll arholiad i fynd i'r banc. Un o'r tasgau a gafodd oedd ysgrifennu arddywediad, ac un o'r geiriau a roddwyd iddo yn ystod yr arddywediad hwnnw oedd *hullabaloo*. Doedd gan Robin druan ddim syniad sut i'w sillafu. Ond i ddangos pa mor chwim oedd ei feddwl oedd o, mi gymrodd arno ei fod heb glywed yn iawn, a'r hyn a roddodd i lawr oedd '*hell of a baloon*'.

Beth bynnag am hynny, fe fu'n llwyddiannus yn yr arholiad ac aeth i Fanc y Midland yn Llandudno.

Cwta ddwy flynedd y bu yn y banc. Yn ystod y cyfnod hwnnw fe dorrodd ei iechyd a bu'n wael iawn. Credai'r meddygon ei fod yn dioddef o'r diciâu (neu'r T.B.). I gymhlethu pethau hefyd aeth ei bendics yn ddrwg, ac aed ag ef mewn ambiwlans i'r ysbyty yn Lerpwl. Drwy gydol y daith honno, roedd yn griddfan mewn poen, gyda'i fam yno i gadw cwmni iddo. Bu'n rhaid tynnu ei bendics heb anaesthetig llawn gan fod y meddygon yn dal i gredu fod y diciâu arno, ac na fyddai ei ysgyfaint yn ddigon cryf i gymryd yr anaesthetig. Yn ôl Gwilym Rhys, roedd o'n gyfnod anodd i Robin, ac yn bennaf oherwydd cyflwr ei iechyd, bu'n rhaid iddo roi'r gorau i weithio yn y banc. Dywedodd y meddygon wrtho y byddai byw am rhyw dri mis pe bai o'n peidio â gwneud nifer o

Robin pan yn cychwyn yn y banc

bethau, yn eu mysg yr oedd gorchymyn i beidio â reidio motobeic, peidio â gwlychu mewn tywydd garw, peidio ag aros ar ei draed yn hwyr yn y nos, peidio â smocio a pheidio â gwneud dim byd gyda merched. Y syndod yw iddo wneud pob peth roedd y meddygon wedi ei siarsio iddo beidio â'u gwneud, a byw am flynyddoedd lawer, er na fu ei iechyd yn dda am weddill ei oes.

Daeth Robin gartref o'r banc yn denau iawn gyda golwg gwael arno. Roedd Arthur Morris, yr hwn y bu'n gweithio gydag ef cyn iddo fynd i'r banc, wedi ei rybuddio:

'Tyrd o'r hen fanc 'na, neu mi golli di dy iechyd.' Roedd o'n adnabod Robin yn dda gan ei fod wedi cael llawer o'i gwmni, ac fe wyddai na fyddai Robin yn gallu dioddef gweithio mewn stafell am gyfnodau hirion.

Yn ystod cyfnod ei arhosiad yn Llandudno, roedd gan Robin hiraeth am Lanuwchllyn, y pysgota a'r hela, ac fe gafodd fotobeic i ddod gartref i fwrw'r Sul. Wrth deithio'n ôl ac ymlaen ar y beic fe dyfodd ynddo yr awydd i rasio, ac wedi cyfnod i ddod ato'i hun, fe drodd a'i holl fryd ar rasio motobeics.

Y Bachgen Castiog

Bachgen castiog iawn oedd Robin, bob amser gyda rhyw gynllun neu syniad ar y gweill. Mae'n siŵr fod llawer o bobl yn y pentref yn teimlo y dylai fod y teulu wedi aros yn Hendre Mawr, petai ond i gadw Robin allan o'r pentref, a'i rwystro rhag dylanwadu ar y plant eraill. Gan ei fod yn fachgen mor alluog, a'i feddwl yn gweithio mor sydyn, doedd dim digon i gynnal ei ddiddordeb, felly rhaid oedd troi at wneud castiau. A chastiau digon drwg oeddynt ambell dro, hefyd.

Mae ei chwaer, Mena, yn cofio'r Person yn sefyll gerllaw Tyddynllan. Gwisgai het gyda chantel lydan. Roedd hi a Robin yn edrych i lawr arno o ffenest y llofft, gan ei fod yn sefyll yn union oddi tani.

Aeth Robin i nôl llond jwg o ddŵr, plygu allan drwy'r ffenest, a'i dywallt dros het y Person. Yna, i ffwrdd â fo, gan adael ei chwaer wrth y ffenest i gael y bai!

Byddai tri o hogiau'r pentref gyda'i gilydd bob amser yn y cyfnod hwnnw — Bertie Roberts (Bertie Tŷ Isa), John Gittins Owen a Robin, ac yn ffrindiau mawr. Os oedd unrhyw ddrwg yn cael ei wneud yn rhywle ym mhentref Llanuwchllyn, hwy fyddai'n cael y bai.

Meddyliai Robin am y pethau rhyfeddaf weithiau. Roeddynt yn chwarae ffwtbol yn iard yr ysgol un diwrnod, ac fe aeth y bêl drosodd i ardd Bro Aran. Roedd Ernest Roberts yn arddwr arbennig iawn, ac yn ymfalchïo yn ei ardd. Wedi dewis, Bertie fu'n rhaid mynd i nôl y bêl.

'Ga' i ffwtbol plis, Mr Roberts?'

'Lle mae hi?'

'Ynghanol y gwely winiwns.'

'Da drapia chi,' medda fo, ac fe aeth i nôl fforch a'i phlannu hi yn y bêl, ac wedyn rhoi'r bêl yn ôl i Bertie, a honno'n fflat.

Doedd hynny ddim yn plesio Robin, a rhaid oedd cael talu'n ôl. Yr wythnos honno, roedd yna saer maen o Ddolgellau yn trwsio porth y fynwent. Aeth Robin ato a gofyn iddo am sment i lenwi cas y bêl. Yna, ei adael i galedu. Bob prynhawn Mercher, fe fyddai Edward Roberts yn mynd i bysgota. Felly, gan nad oedd neb adref, gosodwyd y bêl ynghanol y gwely winiwns.

Pan ddaeth Edward Roberts yn ei ôl, John Gittins Owen gafodd y gwaith o fynd i ofyn am y bêl.

'Dwi wedi cael digon ar ych hen ffwtbol chi,' medda fo, a dyma fo'n gafael yn y fforch unwaith eto a'i phlannu hi i'r bêl. Mi dorrodd bigau'r fforch, a sigo ei arddwrn hefyd. Bu ei fraich mewn sling am dair wythnos, a Robin wedi cael talu'n ôl iddo!

Plismon Llanuwchllyn yr adeg honno oedd P. C. Roberts. Rhyw ddiwrnod, rhoddodd droed o dan ben ôl Robin a John Gittins Owen am fod yn hogiau drwg. Unwaith eto, roedd yn rhaid cael talu yn ôl. Cafodd Robin un o'i syniadau rhyfedd. Gofynnodd i dafarnwr yr *Eagles* — gŵr dros ddwy lath o daldra — i sefyll ar ganol y ffordd y tu allan i Siop Bro Aran. Yna, fe glymodd Robin gortyn o un ochr i'r ffordd i'r ochr arall, fel ei fod yn clirio pen y tafarnwr o ryw fodfedd neu ddwy. Bertie oedd yn gwylio y noson honno, a phan roddodd yr arwydd, aeth y ddau arall y tu ôl i'r clawdd, gyda Robin yn dal y cortyn yn dynn, fel na ellid ei weld yn y tywyllwch. Daeth Roberts y plismon heibio'r siop, a dyna'r cortyn yn taro ei het i ffwrdd oddi ar ei ben. Ddaliodd o ddim mo'r drwgweithredwyr ac roedd Robin wedi cael talu'n ôl iddo yntau.

Dro arall, ar nos Sadwrn, rhoddodd Robin barsel ar y ffordd gyda label arno a chortyn yn sownd iddo. Yna cuddio y tu ôl i'r wal. Ar nos Sadwrn, fe fyddai busnes mawr yn siop Richard Huws, Pen Bont, gyda phobl yn dod yno i brynu menyn a wyau a phethau eraill. Y nos Sadwrn yma, daeth George y gof i Ben Bont a gwelodd y parsel ar lawr. Plygodd i'w godi a dyma Robin yn rhoi plwc i'r cortyn nes yr hedfanodd y parsel i ffwrdd oddi wrtho.

Ar y ffordd yn ôl, rhoddodd George gic i'r parsel. Wel, doedd hynny ddim yn plesio Robin. Aeth adref, a lapio bricsen mewn papur llwyd a rhoi label arno a chortyn yn sownd. Y nos Sadwrn ganlynol, gosododd y parsel ar ganol y ffordd, a chuddio y tu ôl i'r wal. Pan ddaeth George y gof, gwelodd y parsel ar ganol y ffordd a rhoddodd andros o gic iddo. Bu'n gloff am ddyddiau wedyn, ac unwaith eto, roedd Robin wedi cael talu'n ôl.

Gan fod John Gittins Owen yn byw drws nesaf i Robin, byddai'n cael ffrae gan ei fam yn aml:

'Rhaid iti beidio â mynd efo'r Robert John 'ne, mae o'n dysgu castie drwg iti.'

Ond mêts oedd mêts!

Yr hyn sy'n cael ei alw'n *gentleman farmer* oedd Harri Jones, Cefn Prys, wedi gwisgo'n daclus bob amser. Byddai'n cadw'r un arferion bob nos, bron, sef dod i'r pentref, mynd i'r siop i nôl owns o faco, bocs o *Swan* ac efallai, tun o samon. Wedyn, mynd i'r *Eagles* am beint neu ddau, ac ar ôl hynny, am dro i dŷ capel yr Hen Gapel. Un tro, fe fu'r 'tri hogyn drwg' yn chwarae cowbois yn nyrs Cefn Prys, a gwneud tân nes bod yna andros o goelcerth. Fe ddywedodd Harri Jones wrth y plismon pwy oedd yn gyfrifol, felly rhaid oedd talu'n ôl.

Byddai Harri Jones yn cerdded ar hyd llwybr i'w gartref, ac yr oedd yna Fasarnen dros y llwybr.

'Rhaid i chi yfed cymaint o ddŵr — neu rywbeth — ag y gallwch chi,' meddai Robin, 'a 'da chi ddim i bi-pi o gwbwl.'

Tua chwech o'r gloch fyddai Harri Jones yn dod i lawr. Am chwarter i chwech, aeth y tri ohonynt i ben y goeden. Cyn pen dim, pwy ddaeth i lawr y llwybr ond Harri Jones. Dyma'r tri ohonynt yn piso ar ei ben o. Doedd o ddim yn gallu gwneud dim, doedd o ddim yn gallu dringo'r goeden i'w dal.

Ynghanol y pentref un tro, clymwyd dau ddrws yn sownd yn ei gilydd ar draws y ffordd. Drws y brifathrawes, Miss Bowen oedd un, a drws rhyw ddynes beryglus a elwid yn 'Black Anne' oedd yn byw'n union gyferbyn, oedd y llall. Aeth Robin a chlymu cortyn i glicied drws Miss Bowen a chlymu pen arall y cortyn i glicied drws 'Black Anne'. Yna, cnociwyd y ddau ddrws. Agorodd Miss Bowen ei drws, wedyn agorodd 'Black Anne' ei drws — a chau drws Miss Bowen yn glep.

Fe fu'n andros o helynt wedyn.

Ymysg y castiau eraill roedd chwarae'r 'tric botwm', sef rhoi botwm ar linyn, clymu'r llinyn uwchben ffenest, yna tynnu'r llinyn a gwneud i'r botwm gnocio yn erbyn y ffenest. Fel arfer, deuai rhywun allan o'r tŷ, neu o leiaf agor y drws, gweld bod neb yno, a mynd yn ôl i'r tŷ. Cnocio'r ffenest unwaith eto, a chael llawer o hwyl wrth wneud hynny.

Bu chwarae castiau yn rhan ohono ar hyd ei oes, fel y cawn weld. Ond dyma gau'r bennod yma drwy sôn am un tric a chwaraewyd ar y plismon pan oedd Robin yn hŷn.

Eisteddai Robin ar ei fotobeic, a hithau wedi nosi. Lamp garbeid oedd ar y beics yr adeg hynny, gyda pheipen yn cario'r nwy o'r lamp flaen i roi golau coch yn y lamp ar gefn y beic. Gwasgodd Roberts y Plismon y beipen oedd yn mynd i'r lamp goch a diffoddodd y golau. Dyma Robin yn tanio'r beic.

'Hei, lle mae'r golau coch?' holodd y plismon. Deallodd Robin beth oedd y plismon wedi ei wneud a dyma Robin yn talu'n ôl.

'Duw, helpwch fi i godi oddi ar y beic 'ma,' medda Robin. Gafaelodd y plismon yn llaw Robin, a dyma Robin yn rhoi ei law ar yr *ignition*. Cafodd Roberts y Plismon sioc nes yr oedd yn neidio!

Gwaith a Chynhaliaeth

Er ei fod yn fachgen galluog iawn, ac yn chwim ei feddwl, siomedig iawn fu ei yrfa cyn belled ag yr oedd gwaith sefydlog yn y cwestiwn. Wedi iddo adael y banc, bu'n byw i bob pwrpas ar ei allu i feddwl am syniadau ac er iddo fentro i fyd masnach, nid oedd ganddo'r ddisgyblaeth ar ei gyfer.

Roedd Arthur Morris, cefnder ei fam, yn gweithio i Swyddfa'r Dreth yn y Bala, ond yn ei gartref ym Mhlas Deon, Llanuwchllyn y byddai'n gwneud y gwaith. Aeth Robin ato er mwyn derbyn addysg a gwybodaeth ynglŷn â materion trethianol. Tua'r adeg honno, hefyd, y daeth i ddeall fod pethau amgenach na gwaith i'w cael yn yr hen fyd yma, a hynny gyda chymorth Arthur Morris. Pe byddai Arthur Morris yn teimlo fel mynd i bysgota, yna sgota fyddai'r ddau ohonynt drwy'r dydd. Dro arall, deuai awydd i fynd i hel wyau adar, neu gywion cigfran oddi ar yr Aran, gan fynd i lawr y graig ar raff i'w nôl. Daeth Robin â chyw cigfran adref unwaith, medd ei chwaer, a bu'n ddyfal wrthi'n ceisio ei ddysgu i siarad.

Er i Robin ddysgu llawer yn ystod y cyfnod hwn, chafodd o ddim disgyblaeth gwaith pan oedd yn ifanc, rhywbeth oedd yn holl bwysig os am yrfa yn y banc — ac fe blannwyd y syniad o ryddid i ymwneud â phethau eraill fel yr oedd yr awydd yn codi.

Ni ddychwelodd i'r banc ar ôl ei salwch — a dyna ddiwedd ar ei gyfnod mewn swydd sefydlog. Rai blynyddoedd yn ddiweddarach, yn ystod y pumdegau, fe welwn iddo gynnig am swyddi unwaith eto, ond swyddi fel cynrychiolydd cwmni, oedd heb fod yn gaeth i adeilad, neu i reolaeth bendant oeddynt. Yn y llythyr a gynhwysir yn y bennod hon, fe welir ei fod yn rhoi ei hun fel '*Motor and Agricultural Engineer and Salesman*'.

Wedi iddo gryfhau, ac wedi i'r chwilen rasio motobeics gydio ynddo yn ystod y tridegau, fe ddechreuodd fusnes prynu a gwerthu motobeics, busnes a ddaeth maes o law yn un llewyrchus am gyfnod, o leiaf.

Canolbwyntio ar fotobeics yn bennaf a wnâi cyn y Rhyfel, er ei fod yn prynu a gwerthu ceir ail-law hefyd yn ystod y cyfnod hwn. Yr oedd wedi sefydlu cwmni yn Llanuwchllyn, a dyma'r manylion ar un o'r biliau:

MOTOR CYCLES Tuning for speed and reliability	**R. J. EDWARDS** THE RIDER AGENT LLANUWCHLLYN N. Wales	CARS — TRACTORS IMPLEMENTS WELDING — SPRAYING

Personal successes include, 5, Isle of Man replicas. 4th, 6th, 7th & 9th places. 12 fastest laps. N. West 200 Grand Prix of Ireland 3rd. Belgian Grand Prix, fastest lap on British machine

M..

Dechreuodd y busnes gwerthu motobeics mewn tŷ yn y Pandy, Llanuwchllyn o'r enw Tŷ Newydd. Byddai mynd garw ar y busnes, a rhesiad o fotobeics i'w gweld ar hyd ochr y ffordd. Deuai motobeics newydd ar y trên bob dydd am gyfnod, ac roedd bachgen o Gerrigydrudion o'r enw Harold Pye yn gweithio iddo yn y gweithdy. Byddai gweld stamp 'Llanuwchllyn' ar y motobeics yn beth arbennig iawn, yn enwedig i'r plant a'r bechgyn ifanc.

Y drefn oedd gwneud y beics i fyny yn Nhŷ Newydd a'u gwerthu nhw yn y Tyrpeg — sef y tŷ sydd ar y gornel wrth i chi droi i mewn i bentref Llanuwchllyn.

Ar ddydd Sadwrn, byddai Robin yn talu tair ceiniog y beic i Wyn Gittins Owen a bechgyn eraill i'w powlio o'r Pandy i'r Tyrpeg. Wedi iddynt gyrraedd y Tyrpeg, roeddynt yn barod ar gyfer y ffordd.

Gwerthai nifer o wahanol fathau o fotbeics, yn ôl y galw. Dyma restr a godwyd oddi ar ddarn o bapur. Ar un ochr yr oedd englyn, ac ar yr ochr arall, mewn pensel, roedd y canlynol:

Warning:
I can only get the following new machines again this year:

Velocette, **two** *only*
Norton, **three** *only*
Excelsior, **five** *only*
O.K. Supreme, **five** *only*
Rudge, **five** *only*

That is, twenty new machines all told.
I have completed my contracts for 1937.

Nid wyf yn gwybod ar gyfer beth yn union y paratowyd y rhestr, ond mae'n rhoi rhyw syniad o'r galw a oedd am y beics.

Daw'r hysbyseb canlynol o bapur *Yr Adsain* (ardal Corwen) 1936:

T.T. RACES.

Same old story, same old makes staved off the foreign challenge.

Pick your NEW MOUNT from the world's best,

VELOCETTE
NORTON
EXCELSIOR
O.K. SUPREME
COTTON.

The machines that can stick all the thrashing you can give them and ask for more.

This week's SECOND-HAND BARGAINS include :—

1932 500 2pt. NEW HUDSON (choice of 2)
1930 250 2pt. ARIEL.
1931 350 s.v. B.S.A,
1928 350 Camshaft VELOCETTE.
1930 350 s.v. A.J.S,
1928 AUSTIN 7 SALOON.
1933 MORRIS MINOR SALOON.
1933 500 s.v. MATCHLESS.

Cash or terms. Exchanges.

R. J. EDWARDS,
The Rider Agent,
LLANUWCHLLYN.

Harold Pye o Gerrigydrudion oedd yn tiwnio'r motobeics cyn eu gwerthu, ond Robin ei hun a fyddai'n paratoi y beic fyddai yn ei ddefnyddio i rasio — yr oedd ei fywyd yn dibynnu ar hynny, ac wedi'r siomedigaeth a gafodd yn 1934, pan gollodd ei gyfle o ganlyniad i flerwch un o'i gyfeillion wrth baratoi'r beic y noson cyn y ras, mae'n debyg ei fod wedi ymdynghedu na fyddai neb arall yn cael ymhel â'i feics rasio.

Un tro, yr oedd gŵr o'r ardal eisiau prynu motobeic gan Robin, ac am iddo gael hyd i un da.

'Ffeindia i un iti, wa,' meddai Robin.

Daeth i'w dŷ un noson ar gefn *A.J.S. 350*, a hwnnw'n feic arbennig, yn edrych yn dda ac yn amlwg mewn cyflwr gwych. Dyma roi cynnig ar y beic. Robin oedd yn reidio, a'r cwsmer ar y cefn. Wrth fynd am Beniel, yr oedd Robin yn gwneud saith deg milltir yr awr ar y corneli, ac yn sydyn, heb arafu dim, dyma fo'n tynnu ei ddwylo oddi ar yr handleni a'u rhoi ar y tanc gan droi yn ôl:

'Mae'n mynd yn dda 'dydi wa?'

Ni chofnodwyd ateb y cwsmer.

Er cystal oedd ei fusnes yn y tridegau, mae'n debyg nad oedd llawer o siap busnes ar Robin, a'i dueddiad i werthu ambell un ail-law ar golled, neu o leiaf ei fod yn rhoi gormod o bris am feics ail-law, yn torri'r elw i lawr. Prynai rai beics ail-law fel rhan-gyfnewidiad am feics newydd ac fe fyddai'n cael trafferth i werthu rhai ohonynt. Yna fe ddaeth hi'n adeg drwg i'w gwerthu. Ar yr un pryd, âi llawer o'r elw o'r beics i dalu am ymdrechion Robin ar Ynys Manaw gan nad oedd ganddo noddwyr i'w gefnogi'n ariannol.

Gwelodd y busnes motobeics yn dechrau dirywio, ac o ganlyniad i hyn, ar ddechrau'r Rhyfel, fe newidiodd o fotobeics yn bennaf i geir ail-law. Yr oedd wedi bod yn gwerthu ceir cyn hyn, ond dim ond ambell un. Penderfynodd y byddai mwy o alw am geir, a mwy o elw wrth eu gwerthu. Dyma hysbyseb o'r *Seren* (papur o ardal y Bala) yn dangos yr hyn oedd ganddo ar werth cyn iddo droi at werthu ceir.

A.J.S. 1926. 350 c.c. S.V. Reliable — £4
A.J.S. 1927. 350 c.c. O.H.V. Reliable — £5
A.J.S. 1932. 350 c.c. O.H.V. Saddle.
Tank as new — £25
B.S.A. 1930. 250 c.c. O.H.V. Chromium Tank
— £12-10-0
B.S.A. 1938. 350 c.c. O.H.V. Fast with Pillion.
As New — £18-10-0
Matchless 1930. 250 c.c. S.V. Overhauled
— £18-10-0
New Imperial. 1931. 250 c.c. Two ports.
Speedometer — £14-0-0
Rudge. 1929. 500 c.c. O.H.V. Special.
Fast — £10-10-0
Triumph. 1934. 250 c.c. O.H.V. Chromium
Tank. Nice — £18-10-0
Excelsior. 1936. 350 c.c. Manxman. Small
Mileage. Cost £70 — £49-0-0
Spares for most makes.

Gan ei fod yn beiriannydd mor dda, gallai droi ei law at beiriant car neu dractor yn ogystal ag un motobeic. Yn wir mae sôn o hyd am ei ddawn fel mecanic. Un tro, ar ddechrau'r Rhyfel, yr oedd yn digwydd bod mewn garej yn y Bala. Roedd hi'n ddrwg rhwng y ddau oedd yn cadw'r garej gan eu bod wedi trio tanio car drwy'r prynhawn ac wedi methu. Er bod Robin yn ei ddillad gorau, dyma un ohonynt yn troi ato gan ddweud:

'Sbia ar hwn.'

'Dwi ddim yn mynd i faeddu 'nillad, wa,' meddai Robin, ond edrychodd ar yr injan.

Fuodd o ddim dau funud yn tanio'r car, ac mi aeth y perchennog i'w boced a rhoi papur punt i Robin, gan adael y ddau arall a'u cegau ar agor.

Dro arall, yr oedd yn mynd heibio Glan-llyn mewn car un noson, a hithau'n tywallt y glaw. Ychydig ddyddiau ynghynt yr oedd wedi gwerthu tractor i'r ffermwr a ddaliai'r tir. Wrth basio Glan-llyn, fe welodd Robin y ffermwr ar ben y tractor yn wlyb at ei groen gyda chymydog iddo yn ei dynnu gyda'i dractor ei hun i geisio tanio'r tractor. O ganlyniad i'r tynnu, roedd y cae yn troi'n fudur a'r tractor yn dal i wrthod tanio.

Aeth Robin dros y clawdd i'r cae, a phan welodd ef, dyma

berchennog y tractor yn dechrau diawlio Robin, gan ladd ar y tractor a'i alw'n beth diwerth hollol.

'Be sy'n bod, wa?' meddai Robin, 'mae'r tractor yn iawn, chdi sydd ddim yn ei ddallt o.'

Fuodd Robin ddim dau eiliad yn cychwyn y tractor.

Erbyn hyn, teimlai y gallai redeg y busnes o'r Hendre Mawr, ac nad oedd angen y tŷ yn Llanuwchllyn. Felly, o hynny mlaen, o'i gartref y rhedai y 'mentrau busnes' amrywiol. Gwerthai geir i amryw o bobl yr oedd yn eu hadnabod. Yr oedd y diweddar Tecwyn Lloyd yn athro yn ysgol Llanuwchllyn yn ystod 1940. Prynodd gar gan Robin, *Austin Seven*, ac un wedi gadael ei fan geni yn 1932. £19 oedd y pris. Daeth Robin ag ef i gartref Tecwyn Lloyd ac yno y seliwyd y fargen. Er nad oedd yn berffaith o gryn dipyn, fe fu'r car gan Tecwyn Lloyd tan 1946 ac fe'i gwerthodd bryd hynny — am £40!

Gwerthodd Ffordyn i Gwyndaf Davies, ei athro cynghanedd, ac yn hwnnw y bu'n dysgu Megan Davies (merch Gwyndaf Davies) i yrru'r car. Mae'n debyg fod ganddo dipyn o amynedd, ac yn ystod y blynyddoedd bu'n rhoi gwersi gyrru i sawl un arall.

Felly, prynu a gwerthu o'i gartref neu wrth fynd o gwmpas yr ardal y byddai. Yn aml iawn, âi i arwerthiant i brynu car, yn enwedig pe gwyddai ymlaen llaw pa un oedd y cwsmer ei angen.

Un tro, yr oedd yn mynd i godi car i rywun yn Queensferry, a hynny ar ôl y Rhyfel. Aeth yno mewn hen *Austin Seven*, ac mae'n debyg nad oedd ganddo fwriad i ddod â'r car hwnnw yn ôl gan ei fod wedi cyrraedd diwedd ei oes. Doedd dim olwyn sbâr ar y car, felly pan gafodd bynctiar yn yr olwyn ôl, doedd dim amdani ond gyrru mlaen ar y daith. Ymhen ychydig, cafodd bynctiar yn yr ail olwyn ôl, ond doedd dim amdani ond parhau i fynd. Wrth dreulio ar ymylon yr olwyn fetel, roedd y teiars wedi cael eu hollti'n grwn, felly cyrhaeddodd Queensferry heb deiars ôl o gwbl a gadael y car yno gan ddod â'r llall yn ôl i Lanuwchllyn.

Weithiau, byddai'n digwydd taro ar fusnes, fel y tro hwnnw y digwyddai fod mewn garej yn y Bala a gŵr o Lanuwchllyn yno yn holi am *Austin 10* — yr oedd bron â thorri ei fol eisiau cael un.

Clywodd Robin y perchennog yn dweud nad oedd gobaith cael *Austin 10* — 'does dim posib eu cael nhw.'

Wedi i'r sgwrs orffen, fe aeth Robin ato:

'Wyt ti eisiau *Austin 10* wa?'

'Wel oes, yn ofnadwy, Robart John, 'taswn i'n gallu cael un yn rhywle.'

'Reit, ddo' i ag un draw fory.'

Ac mi oedd o wedi cael un hefyd. Roedd Robin yn un â'i glust ar y ddaear ac yn gwybod i'r dim ble i gael gafael ar geir.

Dyma restr o'r ceir (a thractor) a'u prisiau yr oedd ganddo ar werth ym mis Chwefror 1951. Eto, codwyd y rhestr oddi ar un o'i bapurau ac nid o bapur newydd:-

Fordson & Plough, £130
Morris 8, £185
Ford 8, £155
Opel 12, £200
Allis 13, £140
M.101, £150
M.102, £90
Morris 18, £185
M.8. Van, £80
Austin 8 Van, £125

Felly, yr oedd ganddo dipyn o geir ar ei ddwylo yr adeg honno. Er i'w fusnes ddod i ben yn raddol wrth i'w iechyd ddirywio ac wrth iddo droi at faes arall, daliai i werthu ceir bron iawn at y diwedd. Ymysg ei gwsmeriaid yn y saithdegau roedd Alan Llwyd, pan oedd hwnnw'n cadw siop Awen Meirion yn y Bala.

Yr oedd ochr arall i'w fusnes ceir. Cydnabyddid ef fel mecanic eithriadol o dda, yn barod iawn i helpu unrhyw un os oedd rhywbeth yn bod ar ei gar, ac yn gallu datrys y broblem yn sydyn iawn bob amser. Ond fe allai eich gwneud o dan eich trwyn hefyd, yn enwedig os nad oeddech yn ei adnabod. Prynai hen geir — hen grocs go iawn, a'u trwsio, eu paentio a'u glanhau iddynt edrych yn well o lawer. Yna câi well pris amdanynt.

Gwerthodd gar i rywun o Garndolbenmaen un tro, ac aeth cyfaill iddo gydag ef i'w gario adref wedi danfon y car i ben ei daith.

Yn rhywle ar y ffordd yno, byrstiodd peipen betrol y car yr oedd wedi ei werthu, ac wrth gwrs, stopiodd yn y fan a'r lle.

'Duw be 'nei di rŵan, Robin?'

'Chwilia am siop, wa,' meddai Robin, ac wedi canfod un, dyma fo'n prynu paceidiau o *chewing gum*.

'Cno hwn, wa,' meddai, ac wedi i'r ddau gnoi am dipyn go lew, dyma gymryd y *chewing gum* meddal a'i ddefnyddio i batsio'r beipen betrol.

'Dyna fo, mi ddeil am dipyn eto,' meddai Robin, ac i ffwrdd â hwy i ben y daith, a'r prynwr druan yn deall dim.

Pan oedd gwaith adeiladu'r pwerdy yn Nhanygrisiau yn mynd yn ystod y pumdegau, roedd yno fforman, a hwnnw'n ŵr reit groes yn ôl pob stori. Gofynnodd i Robin am gar rhyw dro, wedi i rywun gyflwyno Robin iddo yn rhywle. *Morris 8 series E* oedd gan Robin y diwrnod hwnnw.

'I'll have that one,' meddai'r dyn, *'and I'll pay you cash.'*

'Very good,' meddai Robin, wrth gwrs roedd hynny'n drefniant wrth fodd ei galon.

Dyma ddanfon y car i'r Blaenau un nos Sadwrn a Mered Jones yn gwmni i Robin.

'Awn ni i'r pictiwrs, Jôs, *fish a chips* wedyn. Mae gen i gar i ddod adre, dwi wedi prynu hen groc arall.' Ac felly y bu.

Daeth y dyn a'r car yn ôl at Robin ymhen rhai dyddiau.

'You'd better do them sills under the doors and the exhaust is blowing. I'm quite happy with it.'

'Leave it here, we'll deliver it to you in a couple of nights; my mate will be home on Friday.'

'Very good.'

Aeth Mered Jones gyda Robin i'r Blaenau unwaith eto, ond y tro hwn, roedd Mered Jones yn ei gar ei hun yn dilyn y llall.

'Be 'ti'n feddwl o hwn Jôs?' holodd Robin.

'Lyfli, Robin,' ac roedd yn sgleinio'n ddu, '*exhaust* dipyn bach yn swnllyd, Robin.'

'Dwi'n gwybod, dwi 'di rhoi stwff arni, rownd y *joint* ac mi neith hwnnw g'ledu a'r carbon hel arno fo i'w selio, mi fydd yn olreit 'sti.'

Dyma ddanfon y car, ac roedd y dyn yn falch iawn o'i gael.

'Thanks very much. I'm taking the missus through the tunnel to Liverpool on Saturday.'

'Best of luck,' meddai Robin.

Ychydig ddyddiau wedi hynny aeth y ddau am dro i Blaenau eto, gan fod Robin am fynd i weld ffrind yno. Aethant i gaffi, ac wrth iddynt gael paned, daeth rhywun o'r Blaenau a oedd yn adnabod Robin atynt.

'Bachwch hi o'ma'r diawliaid, cyn i chi gael ych lladd.'

'Be di mater, wa?'

'Wel 'da chi'n gwybod y *Morris 8* 'na? Aeth y boi drwy'r twnnel dydd Sadwrn, ac mi syrthiodd yr *exhaust* i ffwrdd. Roedd yn rhaid iddo ddal i fynd drwy'r twnnel. Pan dynnodd i mewn, mi ath o dan y car i edrych. Wedi agor y drws, mi roth ei law ar y sil i fynd o dan y car, ac mi oedd 'na andros o lanast arno fo.'

Erbyn deall, roedd Robin wedi llenwi'r sil o dan bob drws gyda bostic neu dar du, ac wedi rhoi darn o hen diwb beic arno, ac wedi paentio hwnnw'n ddu. Difethwyd siwt y dyn gan fod y stwff du wedi mynd dros ei ddwylo a'i ddillad i gyd.

Mae'n debyg i Robin gadw allan o ffordd y gŵr hwnnw am hir iawn wedyn. Ymhen blynyddoedd, ac yntau yn wael iawn yng nghartref Bryn Blodau, Llan Ffestiniog, cyfaddefodd Robin wrth un o'r nyrsus ei fod wedi gwneud rhywun o'r Blaenau wrth werthu car iddo.

'Dwi'n gwybod,' atebodd honno, 'fy ngŵr i oedd o!'

Tua dechrau'r pumdegau y dechreuodd ei ddiddordeb mewn trwsio setiau teledu. Bu'n gwerthu sawl teledu ail-law ac fe barhaodd hynny am flynyddoedd. Nid oeddynt yn gweithio'n dda iawn, ond nid bai Robin oedd hynny i gyd gan fod y derbyniad yn ddifrifol o sâl yn Llanuwchllyn. Yn wir, wedi i beirianwyr teledu fethu â chael llun o gwbl, byddai Robin yn siŵr o gael rhyw fath o lun yn yr un tŷ.

Does wybod o ba le y byddai Robin yn eu cael, ond ar adegau byddai cegin yr Hendre yn llawn o setiau teledu, rhai yn ddarnau mân, eraill ar ganol eu trwsio a'r lleill wedi eu gorffen. Fe werthodd nifer helaeth ohonyn nhw ac yn aml fe gredid iddo 'wneud' pobl hefyd, gan nad oeddynt yn bethau dibynnol iawn ar y gorau.

Cofiai Norman Griffiths iddo brynu teledu gan Robin, y tro cyntaf y bu yn chwilio am un. Gweithiai yn iawn, ond dim ond ar ôl i Robin fod wrthi gyda phin het yn ffidlo yng nghefn y teledu i'w thiwnio.

Gwerthai ddigon ohonynt yma ac acw i gael pres i fyw, a digon o bres i brynu sigaréts hefyd!

Un noson, yr oedd Alon Morris wedi mynd i'r Hendre Mawr, ac yn digwydd bod, y noson honno, doedd y trydan ddim yn dda. Eisteddai Gruff wrth y tân. Tua deg o'r gloch, ffoniodd gŵr o Rydymain i holi Robin am deledu. Erbyn hynny, roedd Gruff wedi mynd i fyny'r grisiau am ei wely.

'Mae gen i un, wa,' meddai Robin, ond doedd ganddo ddim un a oedd yn gweithio.

'Tyrd i lawr, wa.'

Aeth Robin ati i drwsio'r teledu. Newydd gael llun arni yr oedd o pan glywodd gnoc ar y drws. Yn sydyn ar yr union adeg hynny, diflannodd y llun.

'Gruff,' gwaeddodd Robin, 'roist ti'r lectric blancet ymlaen?'

'Do.'

'Wel rhaid iti godi, wa, a'i diffodd hi.'

A chodi fu'n rhaid iddo. Trafodwyd y teledu gyda'r gŵr o Rydymain a tharo bargen. Pan oedd hynny'n digwydd, cododd Gruff a'i gwneud hi am y grisiau.

'Duw, ti ddim am fynd i dy wely, wa?'

Roedd Robin yn ofni iddo fynd i'w wely, rhoi'r blanced drydan i weithio, a difetha'r llun. Bu'n rhaid i Gruff aros i lawr tan i Robin orffen gwerthu'r set ac i'r perchennog newydd droi am Rydymain.

Gwerthai unrhyw beth y gallai gael gafael arno yn ogystal â cheir a setiau teledu. Cofiai Harold Morris iddo werthu gynnau, a hefyd un tro bu'n gwerthu cotiau'r fyddin — am £5 yr un! Does wybod o ba le y daethent!

Pan oedd yn yr ysbyty, yn ystod ei ddyddiau olaf, fe welodd rywbeth yn *Y Cymro*, yng ngholofn Emrys Roberts, a hwnnw wedi rhoi englynion gan Gwilym Rhys yno, ac wedi ei gyflwyno, nid yn unig fel englynwr ond fel y trwsiwr *watches* gorau yng Nghymru.

Anghytunai Robin, a oedd ei hun yn trwsio *watches*, a dyma fo'n anfon englyn i Emrys Roberts, gyda'r ddwy linell olaf yn darllen fel hyn:

'Amau rwyf fod Gwilym Rhys
Yn witsio'r blydi watsus.'

Wrth fynd drwy ei bapurau — cefn pacedi sigaréts a ballu, mi ddois ar draws copi o lythyr cais, wedi ei ysgrifennu mewn pensel. Ateb hysbyseb yn *Y Cymro* a wnaeth, a hynny yn 1958. Does neb yn gwybod a gafodd gynnig y swydd, neu hyd yn oed a esgorodd y copi pensel ar gopi terfynol o'r llythyr. Mae'n werth ei gynnwys er mwyn cael y wybodaeth sydd ynddo, er fod tipyn o elastic yma ac acw!

Box 776
Dorland Advertising Ltd.
18/20 Regent St., S.W.1.

Dear Sir (s),

I regret that your advert for a representative in last week's Cymro escaped my notice until today, but I hope the post has not yet been filled. Before I actually apply for the post, however, I think you will agree that it is only fair to ask for particulars on receipt of which, if satisfactory, shall in return let you have all the information you require regarding myself, together with references etc.

In order that you may have a rough idea as to whether it is worth your while to correspond, or better still to grant an interview, I give below a very brief picture of the writer.

Age 47 (but feels 25), teetotaler (heavy smoker), Welsh, English, Italian, French languages. Top in the county of Meirioneth at the age of 10 out of 500 odd candidates for Secondary School Scholarship. Matriculated at the age of 14. Higher mechanics, chemistry, physics, mathematics. Employed by Midland Bank for 3 yrs, Inland Revenue 1½ yrs, motor &

agric. engineer & salesman rest of my years since school mixed with a lot of driving (total nearly 1,000,000 — no mistake) with 30 yrs no claims and clean licence with motorcycle, cars, commercials and tractors and roughly 10,000 of race driving in England, Ireland, Isle of Man and on the continent with my best finish a 2nd and my worst a 9th. North & mid Wales together with border counties I know inside out, but s. Wales not so well.

Maybe the above is rather incoherent but it will perhaps give you an idea.

Your early reply will oblige.

Yours faithfully,
R. J. Edwards.

P.S. Particulars most necessary are — Name of firm & brands to be sold (with prices) present sales in this country & basis of commission & type of car to be used.

Mae'n bur debyg ei fod angen y swydd yr adeg honno gan fod arian yn gallu bod yn brin iawn ar adegau. Diddorol yw gweld ei honiad ynglŷn â'r gallu i siarad Eidaleg a Ffrangeg. Efallai ei fod wedi codi ambell air fel 'sut ma'i' wrth gymysgu gyda reidars o'r Eidal a Ffrainc yn Ynys Manaw ond go brin y gellid eu crybwyll ar yr un gwynt â Chymraeg a Saesneg. Trydydd oedd ei safle gorau, a hynny yn Iwerddon. Gwendid y llythyr yw ei fod yn rhy dda, os oedd pwy bynnag a'i darllenai i gredu'r cwbl. Mae'n siŵr fod Robin wedi cynnwys yr wybodaeth am ei smocio rhag ofn iddo gael cyfweliad, a rhag ofn iddo besychu'n ddrwg yn ystod y cyfweliad (neu fod yn drewi o fwg sigaréts).

Cefais gryn syndod o ganfod y llythyr hwn, a dweud y gwir. Mae'n siŵr y byddai wedi taflu llythyr o'r math hwn ar ôl methu â chael swydd, os nad oedd yn bwriadu cynnig am nifer o swyddi tebyg ac yn dymuno ei gadw fel copi hwylus ar gyfer gwneud ceisiadau eraill.

Y Pysgotwr a'r Potsiwr

Yn y cyfnod rhwng gadael yr ysgol a mynd i weithio yn y banc y cafodd flas gwirioneddol ar bysgota. Bu, fel llawer bachgen arall o'i oed, yn pysgota ar ôl ysgol, ond dim ond pan aeth i weithio gydag Arthur Morris, Plas Deon y daeth yn bysgotwr wrth reddf, ac y rhoddodd oriau o'i fywyd i chwipio'r afonydd lleol.

Deuai adref o'r banc cyn gynted ag y gallai ar nos Wener a chyn amled ag oedd bosibl er mwyn, ymysg pethau eraill, cael mynd i bysgota. Dyna un o'r prif resymau iddo brynu motobeic, ac felly arweiniodd un diddordeb yn anuniongyrchol at ddiddordeb arall.

Byddai'n pysgota brithyll yn yr afonydd bach, ond yr eog a ddenai ei sylw'n bennaf, fel y mynegodd mewn englyn:

O fewn i ddŵr afonydd — yno mae
Neu ym môr Iwerydd;
Ond un bluen ysblennydd
Yn y bocs dd'wed yma bydd.

Un o'r rhai cyntaf i dreulio amser yn pysgota gyda Robin oedd John Gittins Owen:

'Roedd Robin yn sgotwr pluen heb ei ail, yr oedd yn sgota ers pan yn ifanc iawn, ac yn gwneud ei blu ei hun, hefyd. Bu'n cystadlu lawer ar lynnoedd Trawsfynydd a Chlywedog ac fe fu bron iddo fynd i dîm Cymru unwaith. Nid oedd cweit wedi cyrraedd y nod yn nhyb y dewiswyr, a phan oedd y prawf dewis terfynol ar lyn Trawsfynydd, prawf i ddewis y tîm, mi fethodd droi i fyny oherwydd salwch, a dyna wnaeth ei rwystro rhag cael cynrychioli ei wlad mae'n debyg, achos roedd o'n sgotwr rhagorol.'

Yn ôl mab Arthur Morris, Harold Morris, sy'n dal i fyw yn ei hen gartref yn Llanuwchllyn:

Mae'n debyg mai fo ddysgodd fi i sgota — sgota pluen. Roedd o'n sgotwr bendigedig, yn gwybod yn union lle oedd y pysgod yn gorwedd yn yr afon. Un gwych oedd o hefyd am wneud ei blu ei hun, ac yn enwedig am wneud *castings*. Dwi'n cofio mynd i'r Hendre yn hogyn ifanc i nôl *castings* gan Robin, ac mi fyddai Robin yn eu gwneud ei hunan efo rhawn ceffyl — 'Dim byd gwell,' medde fo, 'na chael rhawn hen stalwyn glas wsti, cynffon stalwyn glas, ac mi fyddet yn ei dynnu, yn un bach tenau a'i wneud o'n *casting*. Ond y drwg oedd os caet ti sgodyn mawr, mi dorra'. Roedd o mor fân, roedd yn rhaid bod yn goblyn o ofalus.

Jest ar ôl iddi dywyllu fyddai Robin yn dechrau sgota; eisteddai yn y car nes roedd hi wedi dechrau tywyllu, wedyn mi âi a dal dau neu dri, a phawb arall wedi bod yn sgota cyn iddi dywyllu ac wedi dal dim byd.

Mi fydda'n mynd â'r pysgod adref i'r teulu, neu eu rhannu o gwmpas os oedd o wedi dal digon.

Âi o byth i unlle yn y car heb enwair. Roedd honno yn y cefn bob amser. Byddai'n stopio wrth rhyw lyn yn rhywle a chyn pen dim, mi fyddai yn ôl efo llond bag o bysgod.

Ymysg rhai eraill o fechgyn Llanuwchllyn y dysgwyd y grefft o bysgota iddynt gan Robin roedd Trevor Morgan:

Dyma oedd ei gynghorion pan oedd yn dysgu i mi sut i bysgota:-

'Gwranda, mae'n rhaid iti aros reit wrthaf fi,' gan ei fod yn chwipio, rhag ofn iddo fachu yn fy nghlust, a 'Phaid â cherdded yn drwm, bydd yn ddistaw, achos mae'r pysgod yn dy glywed — neu yn teimlo cryndod.'

Byddai Robin yn sgota pob afon bosibl, ac yn gastiwr celfydd i'r eithaf. Trwy ei weld yr oeddwn i'n dysgu. Roedd o'n dysgu sut i glymu plu ar y *gut* a dysgu sut i glymu'r *gut* ar y lein — roedd ganddo ei ffordd ei hun o wneud hynny, a dyna sut dwi'n dal i wneud hyd heddiw.

Byddai'n mynd i sgota unrhyw dro y dôi'r awydd i sgota. Dwi'n cofio pan oedd o yn trwsio motobeics yn Tŷ Newydd [yn y Pandy] ar noson o haf. Penderfynodd fynd i'r llyn [Tegid] i sgota.

'Cer i nôl tun *Nuttal's Mintoes* gwag i'r siop wa,' meddai Robin. Aethom i fyny'r afon Twrch i ddal brithyll bach. Yna eu rhoi nhw mewn dŵr yn y tun, a thyllau yn y caead iddyn nhw gael aer. Wedyn, yn ôl â ni ar gefn y beic a minnau'n eistedd ar y piliwn y tu ôl i Robin gan ddal y tun.

Roedd o ar ôl pysgod mawr, felly rhaid oedd cael lein gref iawn, ac yn rhywle cadwai belen o linyn ar gyfer cefn beic merch — y llinyn a glymwyd i rwystro ffrog y ferch rhag mynd i'r olwyn — hwnnw oedd y cryfaf meddai ef, ac yn eithriadol o gryf.

Yna gosod brithyll ar y bachyn, cerdded allan i'r llyn mewn *waders* a rhoi'r rîl ar *freewheel*. Byddai'r brithyll yn nofio allan i'r llyn gyda fflôt bach yn dangos ei fod yn fyw ac mi fyddai'n dal un mawr bob tro.

Treuliodd Alan Llwyd lawer o amser yng nghwmni Robin. Yn ei gerdd i 'Gwm Celyn' mae'r Prifardd yn cyfeirio'n uniongyrchol at Robin, a aeth ag ef yno i bysgota un diwrnod gyda'r cyfiawnhad canlynol gan Robin:

'Tyrd i ni gael rhwbath yn ôl gan lywodra'th y Sais.' Mae'r gerdd yn cofnodi'r profiad hwnnw. Dyma ddyfyniad ohoni sy'n cyfeirio at Robin:

'Cofiaf y gwerinwr hwnnw yn cwhwfan ei enwair
uwch y merddwr, ar dro chwim i arddwrn,
a'i wialen yn chwipio'r tawelwch,
ac yn dannod i fudandod y dŵr digydwybod ei warth;
cofiaf y wefr yn pefrio yn y llygaid pŵl,
a'r wedd guriedig yn ymloywi gyda'r eiliad y teimlai ef
blwc egwan ar blu cogio
fel petai yn cymuno â'r Cwm a oedd dano'n y dŵr.'

Dof yn ôl at Drywery n yn y man.

Un o'i gyfeillion pennaf oedd Gwilym Rhys Roberts, ac mae sôn hyd heddiw yn Llanuwchllyn am y 'gystadleuaeth bysgota' a fu rhwng y ddau.

Mae sawl fersiwn gwahanol ohoni. Y stori'n syml yw i Robin herio Gwilym Rhys i gystadleuaeth bysgota ym Mlaenlliw i weld pwy oedd y sgotwr gorau. Bu Robin yn pysgota yn ystod y dydd ac yn cuddio'r ddalfa, wedyn ar ddiwedd yr ornest yr oedd wedi dal llawer mwy o bysgod, ac ef oedd yn fuddugol.

Yn ôl un fersiwn o'r stori yr oedd Robin wedi dal tua ugain o rai gweddol fach a'u cuddio gerllaw yr afon, hynny yn y prynhawn pan oedd Gwilym Rhys yn yr ysgol. Ond yn ôl y fersiwn hon, y diwedd fu i Gwilym Rhys ddal un-ar-hugain ac i Robin fethu â dal mwy, a cholli'r ornest!

Yn ôl Evan Roberts, yr oedd ef wedi mynd gyda hwy yng nghar Morris Robin. Aeth y car bach i ferwi a nogio.

'Well inni weld yr injan?'

'Na, mae'n ôl reit 'sti wa,' meddai Robin.

'Duw, sbia dan y bonet i roi dŵr yno fo,' meddai Gwilym Rhys.

Gwrthodai Robin agor y bonet, ond yn y diwedd ildiodd. Roedd yna lawer o bysgod yno; roedd wedi eu cuddio ar ôl eu dal o dan Peniel, gan fod pob pysgodyn bach a mawr yn cyfrif yn y gystadleuaeth.

Pan oedd Robin yn pysgota gyda Chlwb y Bala yng Nghlywedog yr oedd Gwilym Rhys erbyn hyn yn brifathro Ysgol Llangurig, yn aelod o Glwb Pysgota Clywedog, ond heb gyrraedd y tîm. Dyma Robin yn dweud wrth ei gyd-aelodau:

'Cerwch chi ffordd arall, dwi'n mynd i gwrdd Gwil Rhys.'

Welodd yr un o'r lleill ef am hir wedyn, aeth Gwilym Rhys ag ef i ddangos ym mhle yr oedd y lle gorau i bysgota ar y llyn, a phe bai Gwilym Rhys wedi dal rhai, mae'n siŵr mai i fag Robin yr aent.

Gan fod Robin yn genedlaetholwr i'r carn, fe wrthwynebodd foddi Capel Celyn yn chwyrn. Wedi i'r cwm gael ei foddi, teimlai wedyn nad oedd yn rhaid iddo brynu trwydded bysgota ar gyfer Llyn Celyn, a gwnai'n siŵr ei fod yn mynd yno'n aml i 'gael rhwbath yn ôl gan lywodra'th y Sais,' fel y dywedodd wrth Alan Llwyd.

Bu Wyn Gittins Owen a Mered Jones, dau ffrind iddo, yn pysgota ar sawl achlysur gydag ef yng Nghelyn. Dyma ddywedodd Wyn Gittins Owen:

Roeddem ni'n mynd lawer gwaith i Gelyn ar nos Sadwrn. Roedd tacle sgota Robin y rhai sobra' a dweud y gwir, ond mi fyddai'n dal pysgod lawer. 'Llyn Yncl' fyddai ei ffrind, Mered [Jones] yn galw Llyn Celyn, am fod ffarm ei ewythr wedi ei boddi oddi tano. Ambell dro, byddai'r cipar yn dweud wrthym ni am ddod yn ôl yn ystod y nos, ac am beidio â mynd yn ystod y dydd gan fod gormod o bobl yno.

Doedd dim cychwyn adref ar Robin o Gelyn. Roeddwn i eisiau codi i weithio, ond aros yn ei wely fyddai Robin, felly doedd dim ots ganddo am amser. Yn y tywyllwch y byddem yn dechrau sgota, a weithiau byddai'n rhaid i ni aros iddi d'wyllu. Os byddem wedi parcio wrth ochr y ffordd, ac yn eistedd yn y car i aros, weithiau fe welem ffermwr lleol yn cychwyn o'i gartref. Yna byddai Robin yn dweud:

'Gad inni fynd wa, mae'r diawl yn cario cleps i'r *corporation* [Lerpwl], wa.'

Pan oedd y Parch. W.J. Edwards yn weinidog yn Llanuwchllyn, cofia un noson pan glywodd sŵn rhywun yn curo ar ei ddrws am un o'r gloch y bore. Pwy oedd yno ond Robin, newydd fod yn pysgota ac yn cyflwyno'r helfa 'a ges i o dan drwyn y Saeson yn Llyn Celyn' i'r teulu.

Yn ystod ei gyfnod fel ysgrifennydd Clwb Pysgota Llanuwchllyn doedd o ddim yn hoffi pysgota yng Nghelyn (yn gyfreithlon, mae'n debyg). Cadwai Corfforaeth Dinas Lerpwl y trwyddedau pysgota yn rhad i bysgotwyr lleol.

Ar ddechrau'r saithdegau, newidiodd pethau. Daeth bygythiad oddi wrth y Gorfforaeth i ddyblu neu dreblu cost y drwydded. Bu'r pysgotwyr lleol yn poeni llawer am hyn. Un noson aeth Elfyn Llwyd (yr Aelod Seneddol presennol ym Meirionnydd) ac Elwyn Edwards (y Prifardd) i weld Robin er mwyn ceisio gwneud rhywbeth ynglŷn â'r bygythiad. Dywedodd Robin fod ganddo syniad sut i rwystro'r codiadau enbyd yma. Dyma fo'n dweud beth oedd ganddo dan sylw:

'Dwi'n mynd i sgwennu at Gorfforaeth Lerpwl i ddatgan fy siom ynglŷn â'r codiadau arfaethedig, a'u bod yn torri'r cytundeb a fu mewn bodolaeth ers rhai blynyddoedd.

'Dwi'n mynd i dynnu eu sylw nhw at y ffaith y byddai'n anffodus tu hwnt iddyn nhw petai 'na benhwyaid [*pike* — pysgod sy'n bwyta pysgod eraill mewn llyn] o Lyn Tegid yn digwydd ffeindio eu ffordd i Lyn Celyn.'

Gyrrwyd y llythyr ac ni fu codiad yn y pris, wrth gwrs, yr adeg honno.

Er cystal pysgotwr ydoedd, eto i gyd fe'i cofir yn bennaf fel potsiwr, ac mae'r straeon yn frith amdano. Doedd ffin y gyfraith yn golygu dim iddo. Gan ei fod ar ei draed drwy'r nos i bob pwrpas ac yn cysgu drwy'r dydd, roedd ei ffordd o fyw yn addas iawn ar gyfer potsio.

Yn ôl John Gittins Owen:

> Robin oedd potsiwr gorau'r ardal. Mi fues i'n potsio samons efo fo lawer gwaith yn y Ddyfrdwy, i fyny y Garneddwen, ar dir oedd yn perthyn i'w deulu. Roedd 'na samon i'w cael bob tro yn y fan honno.

Byddai'n potsio gyda'i ddwylo neu wrth ddefnyddio gaff. Dyma John Gittins Owen eto:

> Roedd Robin wedi cael gwersi ar sut i ddal pysgod gan grydd yn y Llan, a sut i'w cosi nhw. Rhaid oedd gorwedd yn llonydd ar y dorlan — 'a phaid â symud, mae 'na un yn siŵr o ddod i'r golwg yn union, yna wedi iddo ddod, rhoi llaw yn y dŵr yn ara' deg, deg, ara' deg, cosi ei ochor yn ysgafn' — mi oedd o'n plygu fel hen fochyn yn cael anwes, yn plygu i'ch llaw chi — 'Yna yn ara' deg at y gynffon ac allan â fo.' Dyna fel y'i dysgwyd o a chafodd Robin erioed ei ddal wrth botsio.
>
> Roeddan ni'n potsio llawer; dwi'n cofio inni dynnu sgodyn deunaw pwys allan ar bont y Llan unwaith ac roedd gŵr o'r ardal o flaen ei well am botsio y diwrnod hwnnw, yn y Bala.. O'n i'n gwybod fod y ciper lleol yno ac 'mod i'n saff.
>
> Roedd Robin yn adnabod y ciperiaid ac yn gwybod eu symudiadau nhw.

'Wyt ti'n mentro heno?' holais unwaith.

'Yndw, 'dan ni reit saff, mae o wedi mynd i helpu ciperiaid Bala yng Nghwmtirmynach.' Roedd Robin yn gwybod yn union lle yr oedden nhw.

Dwi'n cofio mynd i botsio i Ganllwyd, potsio samon. Daeth Jac Parry, Brynllech efo ni. Hwnnw'n gyndyn o ddod — 'Sgyna'i ddim welingtons, fydda'i wedi glychu.' Cafodd fenthyg pâr oedd yn bedwar seis yn rhy fawr. Roedd 'na graig wrth yr afon, yn llithro i lawr yr afon. Llithrodd Jac Parry ar ei dîn i'r dŵr ac mi lenwodd ei welingtons a dechreuodd fynd efo'r lli. Bu'n rhaid i Robin ei fachu o efo bach samon i'w gael o allan, a Jac wedi dychryn am ei fywyd.

Byddai Robin yn aml iawn yn ei wely trwy'r dydd, wedi bod allan yn sgota neu yn potsio trwy'r nos. Neu hel merched 'de! Weithiau, âi allan mewn andros o dywydd garw gan wlychu at ei groen, a mynd i'w wely wedyn heb sychu'n iawn. Fe fu'n sâl fwy nag unwaith — a dyma un arall o gynghorion y meddygon y dewisodd ei anwybyddu.

Fel arfer, yr oedd Jac Parry, Brynllech, Tecs y Bryn a Robin yn pysgota llawer gyda'i gilydd (ac yn potsio hefyd, mae'n bur debyg). Hel yswiriant oedd gwaith y ddau arall felly yr oedd ganddynt ddigon o amser ar eu dwylo i grwydro.

Yn ôl Dewi Bowen, roedd Robin yn wahanol i bob un oedd yn mynd at yr afon; yr oedd Robin wedi meddwl ac wedi gweithio pethau allan, ac wedi bod yno am dro yn ystod y dydd. Gwyddai lle ceid yr eogiaid gorau cyn cychwyn, a dim ond mater o roi golau ar yr afon a chael gaff yn handi oedd hi wedyn, ac fe fyddai Robin wedi cael eog tra byddai rhai eraill yn cerdded am filltiroedd efallai, a dod adref yn waglaw.

Treuliodd Harold Morris dipyn o amser yng nghwmni Robin, ac weithiau âi i botsio gydag ef:

Byddai'n potsio llawer iawn yn ochr Peniel. Dwi'n cofio mynd i lawr yr afon efo fo unwaith ar ôl iddi dywyllu.

'Mae 'na samons yma, mae 'na gythgam o samons yma — eu cefnau allan o'r dŵr,' meddai.

Roedd hi'n noson dywyll iawn. Yn sydyn, dyma sŵn dŵr, rhyw gletsien yn y dŵr.

'Dene nhw iti,' meddai Robin, 'mae 'na samon yn dod i fyny'r afon.'

Dyma droi y lamp at gyfeiriad y sŵn, a beth oedd yno ond hen geffyl gwedd yn croesi'r afon!

Dro arall, yr oedd Robin yn Ninas Mawddwy yn potsio. Bachodd samon, andros o un mawr, a dyna hwnnw'n ei dynnu i mewn, dros ei ben yn y dŵr, ond mi fachwyd y samon gan un o'r lleill oedd efo Robin. Os dwi'n cofio'n iawn, roedd y samon hwnnw tua 34 pwys. Dwi'n cofio gweld Robin a rhyw fachgen arall yn cario'r samon ar ffon dros eu sgwyddau, ac roedd pen y samon o du ucha' i'w sgwyddau a'i gynffon yn fflat ar lawr. Cythgam o sgodyn oedd o — wedi tynnu Robin i'r dŵr ond doedd Robin ddim wedi ei ollwng o.

Un noson, safai Robin wrth y garej yn Llanuwchllyn. Pwy ddaeth heibio ond un o botsiars mwyaf yr ardal, un a oedd allan bob nos bron yn potsio. Am ryw reswm cerdded yr oedd o y noson honno, ac nid oedd ei feic ganddo.

'Mae 'na sgodyn wrth Peniel, wa,' meddai Robin.

'Duw, gad inni fynd i'w nôl o,' oedd yr ateb.

Aeth y ddau yno ar gefn motobeic Robin. Dyma ddal y pysgodyn a'i gario at y beic. Taniodd Robin y beic:

'Reit, tyrd wa,' meddai.

'Dim diawl o beryg, dwi'n cerdded adref.'

Ac mi gerddodd yr holl ffordd i'w gartref wedi dychryn am ei fywyd!

Un arall a fu'n potsio yn ogystal â physgota gyda Robin oedd Mered Jones:

Dwi'n cofio ni'n potsio yn Ganllwyd rhyw dro, wrth wal goncrit cyn cyrraedd Ty'n y Groes. Roedd yna lyn da yn y fan honno.

'Gwranda, Jôs,' medda fo, 'os welwn ni ola'r cipars, awn i lawr i fan hyn, mae gen i hen foth mawr. Watsia di fi'n trio hwn o dop y wal, mae'r llyn 'ma'n llawn samons wsti, mae hi 'di gneud lli.'

'Chei di ddim un Robin,' meddwn i.

'O, watsia di.'

Dyma ddechrau castio, ac, ymhen ychydig, dyma ni'n bachu samon. Dwi'n siŵr ei fod o tua ugain pwys, a hwnnw'n mynd i fyny'r llyn.

Yn sydyn, dyna andros o glec, a'r enwair yn torri'n ddwy. Gollodd o'r samon a'i enwair y noson honno.

Dro arall aethom ni i Lanelltyd i sgota sewin. Wrth yr afon roedd bwthyn bach ac yno rhaid oedd prynu'r hawl (neu'r *permit*) i bysgota, a hwnnw'n ddrud.

'Sgwenna' i nodyn i'r boi, Jôs,' meddai, 'yn Saesneg.' A dyma Robin yn ysgrifennu'r nodyn fel hyn:

'Sorry we were late, we've been fishing the Llanelltyd pool, but being that you were not at home, we will call in the morning.

Mri Edwards and Jones.'

'Dan ni'n iawn rŵan, allwn ni sgota'r llyn,' meddai Robin. Yr oedd o'n ddigon call i weld y gallai ddadlau ei fod yn barod i dalu am yr hawl i bysgota, ond pe na bai rhywun yn dod atynt, wel, sut y gwyddai gŵr y tŷ pwy oedd *'Edwards and Jones'* ym Meirionnydd?'

Dyna fel yr arferai botsio lle bynnag y byddai pysgod i'w cael. Bu'n potsio mewn sawl ardal; ddaliwyd erioed mohono yn potsio eogiaid, ond fe fu mewn helynt un tro. Aeth criw o Lanuwchllyn i Ddinas Mawddwy i botsio eogiaid yn ystod y dauddegau. Ni chafwyd hwyl ar botsio'r afon ac felly aethant at lyn oedd yn perthyn i ryw hen gyrnol neu rywbeth, a'r llyn yn llawn chwîd hanner dof. Tra yr hysiai'r lleill y chwîd at un pen i'r llyn, roedd Robin a Jac Parry, Brynllech yn eu taro nhw ar eu pennau. Cafwyd tua deg-ar-hugain i gyd. Y syniad wedyn oedd mynd â nhw i'w gwerthu i westy yn y Bermo a phenderfynwyd eu cuddio yn llofft stabal yr Hendre Mawr am ychydig ddyddiau. Aeth un o'r hogiau ag un adref i ginio.

Wedi iddo golli ei chwîd, roedd y perchennog yn gandryll, ac fe aeth at yr heddlu. Y tŷ cyntaf i'r heddlu alw ynddo oedd tŷ potsiar enwog yn Ninas Mawddwy ac wedi iddynt ei holi am ychydig, dywedodd hwnnw eu bod yn llofft stabal yr Hendre Mawr yn Llanuwchllyn, ac am gael eu gwerthu i westy yn y Bermo. Mi bechodd y gŵr hwn yn erbyn hogiau Llanuwchllyn ac fe ddywedwyd wrtho pe byddai'n dangos ei wyneb yn Llanuwchllyn eto y byddai'n cael ei ladd, ac ni ddaeth yno fyth wedyn.

Ymwelodd y plismyn â Brynllech ond fe wadodd Jac Parry ddu'n wyn na wyddai am y busnes. Diwedd yr hanes oedd i'r heddlu gael hyd i'r chwîd yn llofft stabal yr Hendre Mawr ac fe aed â'r criw i lys y Bala. Dirwywyd hwy £3 yr un ac ystyriwyd hwy'n lwcus iawn i ddod allan ohoni mor ysgafn eu cosb.

Y Saethwr a'r Heliwr

Roedd Robin Jac yr un mor enwog ei fedr fel saethwr ag yr oedd fel pysgotwr. Dyma Harold Morris, eto:

> Un gwych ofnadwy am sgota ac am saethu. Mi welis i o'n saethu efo reiffl a thanio matsien. Roedd o wedi rhoi matsien ar bolyn a'i thanio o rhyw 15 i 20 llath. Peth cymharol ddiweddar yw saethu colomennod clai y ffordd hyn, saethu adar, ffesants, petris a chwîd, a saethu cwningod fyddai'r arferiad. Welais i o un tro, a'r ddau ohonom yn sefyll ar y ffordd, yn edrych at lyn y Bala. Roedd 'na dair chwaden wyllt ar ganol y llyn. Dyma Robin yn gofyn:
>
> 'Prun gymri di o rheina wa?'
>
> 'Wel tria'r ganol,' oedd yr ateb.
>
> Taniodd Robin. Cododd dwy a syrthiodd y ganol ar ôl iddi gael ei saethu efo'r reiffl (.22).
>
> Arferwn, yng nghwmni fy nhad, George Morris, fy nhaid, ewyrth Robin (brawd ei fam) a Robin, fynd i saethu. Byddem yn saethu bob peth. Cerddai Robin ychydig y tu ôl inni, ond yr oedd mor gyflym, nes y byddai wedi saethu bob peth cyn i Taid godi ei wn. Wedyn byddai Taid yn gwylltio.
>
> Dwi'n cofio mynd i saethu rhywdro, fy nhad a minnau, Robin a'r plismon lleol. Roeddan ni'n cerdded dan bob ochr i wrych sbriars yng Nghoed Ladur. Roeddan ni'n ofalus bob amser efo'r gynnau, yn torri baril y gynnau a'u rhoi ar *safety*. Roedd gynnon ni gŵn hela hefyd, a *spaniels*. Y cŵn yn y gwrych yn codi petris neu beth bynnag oedd yno. Dwi'n cofio un diwrnod, a Robin a minnau un ochr i'r gwrych, a'r plismon a 'Nhad, neu 'Nhaid — dwi ddim yn cofio yn iawn

— yr ochr arall, a dyna hatsied o betris yn codi, a dwi'n cofio'n iawn fod y plismon wedi saethu i'r gwrych, ac mae'n rhaid fod rhai o'r pelenni o'r getrisien wedi taro bôn y gwrych a throi i gyfeiriad Robin achos aeth un neu ddwy ohonynt i'w ên. Dyma fo'n sbio dros y gwrych ac yn gweiddi:

'Blydi ffŵl, Mogs,' medde fo, 'ti wedi'n saethu fi yn fy ngwyneb.'

A dyna ddiwedd ar y *shoot* am y diwrnod hwnnw, aeth pawb adref i de. Doedd Robin ddim gwaeth, dim ond fod ganddo belet yn ei ên o ganlyniad i'r ddamwain.

Yn y cyfnod hwnnw, gwraig o'r enw Miss Cotton oedd asiant Stad Glan-llyn, ac yn byw mewn tŷ wrth y Lôn. Gallai weld pob dim a oedd yn digwydd, gan fod y tŷ ar godiad tir, a doedd ond angen iddi sefyll y tu allan gyda'i beinociwlars, fe allai weld pawb oedd yn troedio'r tir ger y llyn, yn enwedig os oedd yno rhywun yn saethu. Gellid cymryd mantais ar darth neu niwl saethu chwîd gan nad oedd hi'n gallu gweld pwy oedd wrthi. Fe ellwch fentro y byddai Robin wrthi'n saethu, a hefyd yn saethu ffesantod — gan nad ydynt yn codi mewn niwl, dim ond yn rhedeg ar hyd y llawr ac felly'n hawdd i'w saethu.

Dim ond y byddigions a gâi saethu'r chwîd gwyllt. Yr adeg honno, byddai ffermwyr yn tyfu ŷd, ac wrth ei gynaeafu, byddai grawn o'r ŷd yn disgyn i'r sofl, felly ym mis Medi deuai chwîd i fyny o'r llyn i fwyta'r grawn. Ar noson braf gyda'r haul wedi machlud, y drefn oedd cuddio y tu ôl i wrych ar lechwedd uwchben y caeau. Ymhen ychydig amser, codai'r chwîd oddi wrth y llyn a gellid eu gweld yn ddu yn erbyn yr awyr ac felly yr oeddynt yn hawdd i'w saethu. Doedd hi ddim yn bosibl i Miss Cotton gadw golwg ar y chwîd, yn enwedig os oedd Robin o gwmpas gyda'i wn!

Ar adegau eraill, deuai'r llyn ar lif i fyny bron iawn at Ben y Bont, Llanuwchllyn. Roedd hynny yn y cyfnod cyn dechrau rheoli lefel y dŵr yn Llyn Tegid. Wrth i'r llifddyfroedd godi, dihangai'r adar — y ffesantod a'r rhai eraill — o'i flaen i'r coed gerllaw ac fe âi Robin yno gyda lamp i'w dal, heb orfod tanio atynt, hyd yn oed.

Cofia John Gittins Owen Robin ef yn saethu at bethau eraill:

Roedd o'n saethwr da iawn — roedd o'n cael ei stopio yn yr hen ffeiriau 'ma, am ei fod o'n ennill gormod. Pe bai Robin yn mynd i'r ffair ar y Grîn yn y Bala byddai merched yn tyrru o'i gwmpas, eisiau'r peth yma a'r peth arall oddi ar y stondin saethu, a Robin yn eu cael. Ond ar ôl 'sbyddu pob dim ar y silff, byddai'r dyn yn dweud wrtho:

'That's enough, thank you.'

Roedd dyn y sioe wedi cael digon ar Robin, roedd o'n costio gormod iddo.

Roedd ganddo *air gun* bach, yn tanio slygs. Roedd o eisiau pwti gen i yn y gweithdy acw i sticio matsien, a byddai'n gosod amryw ohonynt mewn darnau o bwti a'r pen coch i fyny. Yna, sefyll tua deg llath oddi wrthynt ac mi daniai nhw i gyd, roedd o wedi hen arfer saethu ers pan oedd yn hogyn ysgol. Defnyddiai'r gwn slygs 'ma i saethu llygod hefyd. Un tro, roedd o wedi ffeindio twll llygoden yn y gegin gefn. Yna, rhoddodd damaid o gaws y tu allan i'r twll, ac eistedd ar gadair, a dal y gwn ond heb slyg ynddo. Pan ddaeth y llygoden allan ymhen hir a hwyr, taniodd Robin a'i saethu wrth i'r gwynt ei fflatio.

Teithiai Trevor Morgan gyda Robin drwy Bentrefoelas un tro mewn car pen agored neu *open tourer*. Cadwai wn o dan y sêt (yn ogystal â genwair yn y cefn) bob tro. Wrth basio Stad y Foelas, gwelodd ffesant. Estynnodd y gwn a'i saethu. Aeth Trevor Morgan allan i'w nôl hi ac i ffwrdd â nhw.

Pan oedd yn gorffwys yn ei wely yn dilyn y ddamwain a gafodd ar Bont Lliw, Llanuwchllyn (yn 1938) yr oedd ganddo wn yn ei lofft, ac fe daniai drwy'r ffenest pe gwelai darged go lew — chwîd neu adar eraill — yn hedfan heibio.

Dro arall, roedd yn dod adref drwy Landderfel un noson yng nghwmni Jac Parry Brynllech a Tecs y Bryn. Magai Blas y Pale ffesantod a dyma droi i mewn yn slei i'r nyrs yn y fan honno a throi'r golau ymlaen. Roedd y ffesantod i gyd wedi eu dallu:

'Duw, mae fel cut ieir yn fa'ma,' meddai Jac Parry, ac ni fu'r helfa'n brin y noson honno!

Dyma un englyn a ysgrifennodd am y pwnc:

Saethu â lamp

Gyda lamp ergydion lu — yn sydyn
Arswydus daranu;
Angau'n siŵr i wningen sy'
Yn poeri tân pryd hynny.

Does dim dwywaith ei fod yn saethwr da. Byddai Dei Edwards yn aml yn ailosod y *rib* neu'r *bead* ar ben y gwn er mwyn i Robin allu anelu'n well.

'Mae'n cario ar i lawr wa, eisiau codi'r *bead* ychydig bach.'

Neu weithiau:

'Mae eisiau gwanhau'r sbring ar y *triger* mae ei thriger hi'n rhy gry.'

Gallai ychydig o newidiadau i'r gwn wneud gwahaniaeth mawr wrth saethu — dyna pam ei fod yn saethwr mor dda ac fe ddaliodd i fod yn saethwr da hyd nes i'w olwg ddechrau gwaethygu ac yn y diwedd fynd yn rhy ddrwg iddo allu anelu'n ddiogel gyda'r gwn.

Saethu Colomennod Clai

Pan ddaeth y gamp o saethu colomennod clai yn boblogaidd ym Mhenllyn at ddiwedd y pumdegau, fe ddechreuodd Robin gystadlu yn y cystadlaethau lleol. Y mae cwpan a enillwyd ganddo ymysg y tlysau yn Hendre Gwalia, ond heblaw am nodi mai am ennill wrth saethu colomennod clai — a hynny yn y Bala — does dim dyddiad na manylion eraill arni. Tybiaf mai ar ddiwedd y pumdegau yr enillodd hi, gan iddo, yn ôl bob sôn, guro dau saethwr profiadol — H. G. Pugh o'r Bermo (a fu'n saethu dros Gymru) a J. Ness o Lanbrynmair.

Teithiai i Fryn Trillyn ar Fynydd Hiraethog yn gyson yn ystod y chwedegau i gystadlu, yn ogystal ag ambell gystadleuaeth leol arall.

Er i John Osborne o Gymdeithas Saethu Colomennod Clai Cymru fod o gryn gymorth i ddod o hyd i bobl a fyddai'n cofio'r cyfnod, mae'n anodd canfod manylion am Robin yn cystadlu dros Gymru yn y gamp, fel y dywedir iddo wneud. Eto, mae traddodiad llafar yn cadw'n fyw manylion a gollwyd wrth eu gosod ar bapur. Gan fod y gymdeithas newydd ei sefydlu, a'r gamp heb ennill ei thir ar ddiwedd y pumdegau a dechrau'r chwedegau mae'r cofnodion yn brin iawn cyn 1964, ac roedd y rhai y bûm i mewn cysylltiad â hwy ynglŷn â'r cyfnod yn gyn-aelodau o dîm Cymru neu'n saethwyr brwd, yn ei chael hi'n anodd cofio enwau pawb a saethai dros Gymru yn y cyfnod hwnnw. Hefyd roedd ambell un allweddol bellach wedi marw.

Aeth Mered Jones gyda Robin i saethu dros Gymru un ai mewn cystadleuaeth tîm rhyngwladol, neu mewn cystadleuaeth ryngwladol i unigolion yn Atcham, sydd y tu draw i'r Amwythig. Roedd yno *shoot* agored ar ôl y brif gystadleuaeth ryngwladol, a hynny fin nos, gan roi cyfle i'r saethwyr lleol a phawb arall a oedd am gynnig. Er bod nifer o fechgyn y Bala yno, wydden nhw ddim fod Robin wedi ennill. Gofynnodd un ohonynt i ryw Wyddel pwy oedd wedi ennill y gystadleuaeth. Atebodd hwnnw:

'*Him with the badges on.*'

Gwisgai Robin fathodynnau a gawsai ar Ynys Manaw wrth rasio motobeics. Roedd wedi ennill punnoedd lawer. Cafodd Jac Parry, Brynllech (Capel Celyn wedyn) wybod hynny, ac mewn caffi ar y ffordd adref o'r Amwythig, dyma fo'n dechrau archebu bwyd:

'*Two pieces of apple pie, chicken sandwiches,*' a rhes o bethau eraill.

'Iesu, pwy sy'n mynd i dalu am hyn i gyd?' holodd Robin.

'Wel y chdi'r diawl, efo'r pres gest ti am saethu 'de!'

Robin a'r Blaid

Does dim ond rhaid edrych ar luniau helmed rasio Robin i weld faint o Bleidiwr oedd o, a faint o genedlaetholwr, hefyd. Byddai'r Triban a'r Ddraig Goch yn amlwg bob tro, ac roedd arddel y Triban yn gyhoeddus yn y tridegau a'r pedwardegau yn rhywbeth anarferol iawn ac yn feiddgar y tu hwnt i bob rheswm. Nid oedd ganddo ofn dangos ei genedlaetholdeb, ac roedd llawer yn ymhyfyrdu yn ei lwyddiannau oherwydd hynny ac oherwydd mai fel Cymro y byddai'n rasio bob tro. Yn wir, fe wrthododd gystadlu yng Ngwlad Belg hyd nes i'r Ddraig chwifio yn ei phriod le uwch y cwrs — dyna faint o genedlaetholwr oedd o.

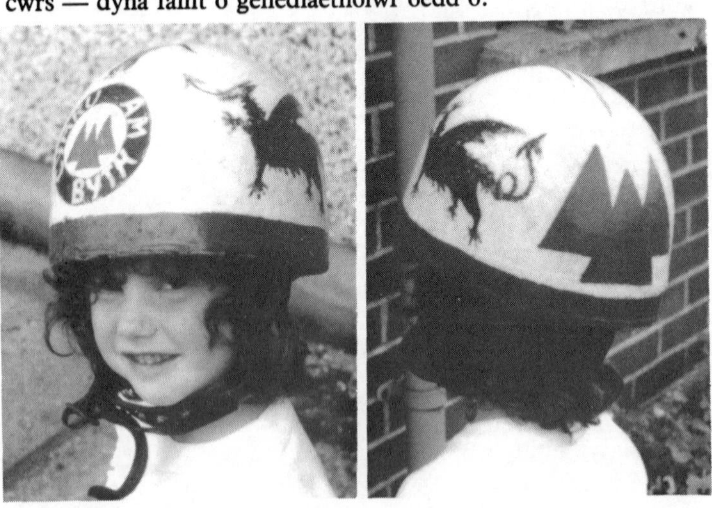

Dau lun o'r helmed a wisgodd yn rasys T.T. 1949 ac 1950

Bu'n ymwneud â'r Blaid o'r cychwyn yn Llanuwchllyn. Pan sefydlwyd cangen yno yn y tridegau, roedd Robin yn amlwg ymysg y cefnogwyr ac yn un o'r rhai fu'n bennaf gyfrifol am ei gwneud yn gangen gref. Cenhadai ymysg ei gydbentrefwyr, gan ennill aelodau newydd o hyd. Yn ôl Megan Davies, Robin a gafodd hi a'i thad i ymuno â'r Blaid. Byddai'n dysgu iddi yrru car, ac wrth roi gwers iddi, estynnodd gerdyn aelodaeth ac fe ddaeth hi'n aelod yno wrth yr olwyn.

Pan oedd Dewi Bowen adref ar seibiant o'r fyddin, gwelodd Robin ar y stryd yn y Bala. Holodd Robin ei gyfarchiad arferol:

'Lle ti'n mynd, wa?'

'Wel adre wrth gwrs.'

'Tyrd efo fi,' meddai Robin.

Aeth y ddau i'r car, ac ar y ffordd i Lanuwchllyn, bu Dewi Bowen yn sôn am haerllugrwydd rhai o'r swyddogion Seisnig tuag at y Cymry, ac adroddodd benillion yr oedd wedi eu cyfansoddi, yn lladd ar y swyddogion hynny.

Dyma Robin yn dweud:

'Dew, wsti be, wa, bois fel ti sydd eisiau yn y Blaid.'

Ac mi aeth i'w boced, ac mi dynnodd gerdyn aelodaeth Plaid Cymru allan ac ysgrifennu enw Dewi Bowen ynddo.

'Dyma ti, does dim isio iti dalu,' meddai Robin. Ac mi fu'r cerdyn hwnnw gan Dewi Bowen drwy weddill y Rhyfel ac am flynyddoedd wedyn.

Er ei fod yn weithgar iawn gyda'r Blaid, fe fyddai rhai cefnogwyr yn credu y byddai'n gwneud mwy o ddrwg nag o les ar adegau, wrth dynnu pobl i'w ben. Yn ystod y cyfnodau cyn ac ar ôl y Rhyfel, yr oedd y Blaid fel cadach coch i darw, ac os oeddech chi'n genedlaetholwr yn y cyfnod hwnnw, roedd yna bobl yn Llanuwchllyn a fyddai'n barod i'ch lladd chi, bron, gan mor gryf y teimlent yn erbyn y Blaid.

Gwendid arall ynddo, hefyd, oedd na fyddai pobl yn ymddiried ynddo am ei fod yn gymaint o rôg yn eu tyb hwy. Gan ei fod yn gallu gwneud ambell un o dan ei drwyn, byddai'r bobl yn ei amau pe byddai'n datgan rhywbeth o bwys:-

'Robin sy'n deud,' oedd hi bob tro.

Rhaid dweud pethau sy'n dal dŵr, a fyddai dadleuon Robin ddim yn gwneud hynny bob tro. Ond ni allai neb amau ei genedlaetholdeb, a'i gred y dylai ei wlad fod yn rhydd. Petai pob Cymro yn caru ei wlad a'i iaith fel y gwnaeth Robin, yna byddai Cymru yn lle gwahanol heddiw, ac wedi taflu i ffwrdd y baich o daeogrwydd oddi ar ei hysgwyddau, gan gymryd ei lle fel y dylai yn rhengoedd gwledydd bychain rhydd y byd.

Bu Robin, Geraint Bowen a Gwilym Rhys Roberts yn cenhadu'n gyson drwy'r pedwardegau, gan droi llawer yn genedlaetholwyr rhonc a chynyddu rhengoedd y Blaid ym Mhenllyn.

Pan ddaeth cysgod y Rhyfel, penderfynodd llawer o genedlaetholwyr sefyll fel gwrthwynebwyr cydwybodol ar sail eu cenedlaetholdeb. Er bod ei iechyd yn fregus, ac er na fyddai Robin wedi pasio'r prawf meddygol i fynd i'r fyddin beth bynnag, penderfynodd ei fod yn dymuno gwneud safiad o blaid ei wlad ac yn erbyn y Rhyfel. Felly, yn 1941 fe'i gwysiwyd i ymddangos o flaen tribiwnlys i amddiffyn ei safiad. Gan iddo glywed am y modd sarhaus y cafodd y gwrthwynebwyr a ymddangosodd eisoes o flaen y tribiwnlysoedd eu trin, penderfynodd beidio ag ymddangos; yn hytrach gyrrodd lythyr yn cyfiawnhau ei safiad, gan egluro pam nad oedd yn barod i ymddangos o flaen y tribiwnlys. Yn anffodus, mae'r manylion am y tribiwnlys yn dal o dan glo tan ddechrau'r ganrif nesaf — hynny yw, os na chawsant eu llosgi ar ddiwedd y Rhyfel, felly nid yw'n bosib canfod yn union beth oedd cynnwys y llythyr. Mae'n rhaid, yn rhywle yn y llythyr, iddo ddweud mai peiriannydd amaethyddol oedd ei waith (nid gwerthwr ceir a motobeics) a chafodd ryddhad ar yr amod ei fod yn parhau gyda'r gwaith hwnnw. Honnai ei fod yn gwerthu tractors hefyd ond nid yw'n debygol iddo werthu mwy na rhyw hanner dwsin trwy gydol y Rhyfel.

Yr unig beth a wnaeth i gyfiawnhau'r disgrifiad 'peiriannydd amaethyddol' oedd trawsnewid hen gar yn beiriant torri gwair (yr unig un a wnaeth trwy'r Rhyfel). Ffordyn oedd y car, ac yn ôl Ifor Owen, yr oedd Robin wedi gosod llafn torri gwair yn ei ochr, gyda phatent o'i gynllun ei hun yn rhedeg o'r car i droi'r llafn a'i weithio.

Aeth Robin a'r 'car' at rhyw ffermwr o ardal Tywyn ar ddiwedd y Rhyfel a dyna'r peth diwethaf a glywyd amdano.

Ar ddechrau'r Rhyfel, hefyd, roedd Dewi Bowen yn cofio mynd gyda Robin i gyfarfod yn Llanuwchllyn, lle trafodwyd y bwriad o ffurfio L.D.V. (neu'r *Home Guard*). Roedd pobl bwysig iawn yno, a llawer o hen filwyr, gyda rhubannau ar eu brestiau. Pan safodd rhyw Gyrnol Robertson o Landderfel i siarad, rhoddodd Robin bwt i Dewi Bowen, ac yna cododd, a cherdded allan o'r cyfarfod gyda phawb yn edrych yn sobor reit arno. Doedd gan Robin ddim ofn dangos ei deimladau o gwbl.

Ar ddiwedd y Rhyfel, daeth gweithgareddau'r Blaid yn ôl i drefn, ac fe aeth Robin i Ysgolion Haf y Blaid yn gyson. Yn Ysgol Haf Llangollen, yn 1945, cofiai Delwyn Phillips i Robin fynd i Gaer i nôl y Parch. John Mackechnie, ysgolhaig o Albanwr, oedd yn Gelt brwd ac yn gallu siarad Cymraeg, (awdur y llyfr gramadeg Gaeleg *Gaelic Without Groans*), ac fe gafodd Robin ac yntau ambell sgwrs ddifyr.

Er ei fod yn weithgar gyda'r Blaid, tueddai i osgoi bod ar bwyllgor neu ddal swydd; gwell ganddo fyddai mynychu ambell i gyfarfod a chasglu aelodau newydd, neu weithio ar gyfer etholiad — gŵr ymarferol oedd o ac nid dyn pwyllgor.

Pan ddaeth etholiad 1951, credai llawer fod Gwynfor Evans yn mynd i wneud yn dda dros y Blaid ym Meirionnydd. Bu Robin yn gweithio drosto. Ar ddydd yr etholiad, cariai bobl i bleidleisio yn ei gar. Ond roedd yn rhaid cael Draig Goch ar y to. Cafodd afael ar gar a'i do yn agor, clymu'r Ddraig ar goes brwsh, a rhoi'r coes brwsh drwy'r to!

Dyma englyn a gyfansoddodd (ar ffurf poster) yn ystod yr ymgyrch honno:

Gwynfor Evans

Tân Brythonig yn ffyrnigo — 'Tra môr,
Tra MEIRION' fydd ynddo
I fod rydd ac i'w fedr O
Y DYLASECH bleidleisio.

Ac o dan yr englyn:-

MAE POB **CYMRO CALL** YN GWNEUD
POB FFŴL **A BRADWR** SY'N PEIDIO.

Pan oedd yr ymgeisydd Rhyddfrydol yn annerch cyfarfod cyhoeddus yn Llanuwchllyn, safodd Robin ar ei draed:-

'Dach chi'n sylweddoli eich bod chi 'di deud celwydd?'

Hwnnw'n codi ar ei draed a'i ateb:-

'Dach chi'n sylweddoli efo pwy 'dach chi'n siarad, 'dach chi ddim yn gwybod 'mod i'n dwrne?'

'O duw, duw, 'dach chi 'di arfer deud celwydd felly.'

Daliodd yn genedlaetholwr diwyro hyd y diwedd. Arddeliai syniadau eithafol iawn, yn enwedig yn ystod cyfnod boddi Tryweryn, a hefyd yr Arwisgo yng Nghaernarfon. Yn ystod y flwyddyn honno, holodd gyfaill iddo:

'Fedri di ddim cael stwff imi, i'w roi dan ei gadair o pan fyddan nhw'n ei goroni o — i chwythu'r diawl!'

Gellir bod yn sicr na fuasai wedi gwneud, ond eto felly y meddyliai, a phan fyddai syniad yn hel yn ei ben, doedd neb yn gwybod beth i'w ddisgwyl.

Rhannai ei deimladau a'i argyhoeddiad gydag eraill. Roedd yn casáu Saeson, y rhai hynny a feddiannai ei wlad:

'Diawled 'sti Mered,' meddai wrth ei ffrind, 'mynd â'n gwlad ni.' Yna aeth ymlaen i sôn am Lywelyn ein Llyw olaf ac fel roedden nhw wedi torri ei ben o.

'Mae isio ni gofio pethau felna, 'sti.'

Yna yn 1974, daeth y 'torri trwodd' ym Meirionnydd, a Robin cyn falched â neb o weld aelod seneddol o Blaid Cymru yn cynrychioli ei sir. Yn ystod y cyfnod hwnnw hefyd, mynegodd ei gefnogaeth i Gymdeithas yr Iaith mewn englyn a llythyr, unrhyw fudiad a frwydrai i wella cyflwr ei wlad.

Wrth chwilota drwy ei bapurau, canfyddais ddau ddarn o bapur, a ysgrifennwyd ar wahân i'w gilydd. Dyma sut y mynegodd ei deimladau:

> Pan ddeffry'r Cymry i sylweddoli fod y Sais wedi mynd â phopeth o werth oddi arnynt fesul tipyn, yr iaith, y tir, dŵr,

meteloedd etc a'n rhyddid i fyw eu bywyd eu hunain bydd helynt cyffelyb yma [i Ogledd Iwerddon].

Yr unig ffordd i osgoi hyn yw cefnogaeth i Blaid Cymru er sicrhau hunanlywodraeth cyn iddi fynd yn rhy hwyr i gael chwarae teg i'n gwlad a'i phobl heb dywallt gwaed.

Waeth heb na disgwyl cyfiawnder gan y pleidiau Llafur, Rhyddfrydol neu Doriaidd (chafodd yr Iwerddon mohono gan y rhain) gan mai pleidiau'r Sais ydynt, yn bodoli er mwyn Lloegr ac er colled i Gymru.

Eisoes mae Lloegr wedi sylweddoli'r posibiliadau ac yn brysur mewn gwahanol ffyrdd yn ceisio tynhau ei gafael ar Gymru. Rhan o'r broses oedd y syrcas yng Nghaernarfon ddwy flynedd yn ôl, propaganda celwyddog ei phleidiau gwleidyddol i'r perwyl mai colled fuasai hunanlywodraeth, gwthio poblogaeth o Loegr i Gymru, lleihau nifer y Cymry yng Nghymru trwy ofalu eu bod yn gorfod mynd i Loegr am waith, ehangu colegau Cymru i wneud lle i lawer mwy o Saeson na Chymry ynddynt, gofalu na chaiff Plaid Cymru ond ychydig o amser ar y teledu i agor llygaid pobl, rhoi digon o amser i bleidiau Lloegr, gwneud popeth i ladd yr iaith Gymraeg, galw'r rhai sy'n gweithio dros eu gwlad yn *extremists* a phethau gwaeth, eu carcharu a'u pardduo yn y papurau dyddiol. Mae'r Sais wedi dysgu ei gêm fudur ar draws y byd ac yn gwybod i'r dim sut i'w chwarae, ac ymddangos fel y chwaraewr mwyaf gonest ar y ddaear.

Mae pob gwlad ond Cymru wedi ei adnabod a dweud wrtho am fynd i'r d . . . !

Mae'n debyg mai sylfaen llythyr oedd hwn, ond nid oeddwn yn gallu ei ganfod mewn unrhyw gyhoeddiad.

Mae'r ail ddarn yn haws i'w egluro. Pan welais y testun 'Dim Politics' es trwy ôl-rifynnau *Llên y Llannau* a chanfod mai dyna oedd testun yr ysgrif agored yn Eisteddfod Llangwm, 1973. Ni chafodd wobr — os y gyrrodd yr ysgrif i'r gystadleuaeth o gwbl.

Dim Politics

Mae'r geiriau 'Dim Politics' yn arwyddocaol — afiechyd Cymru. Dyma un gair o dair llythyren yn Gymraeg a gair wyth llythyren yn Saesneg a dyna yn weddol agos sefyllfa'r iaith Gymraeg yn ei gwlad ei hun sef tri person yn siarad Cymraeg am bob wyth sy'n siarad Saesneg.

Nid yw'r sefyllfa yma yn gyfyngedig i'r iaith ac mae'n gwaethygu o ddydd i ddydd a'r rheswm am hyn yw 'Dim Politics', neu yn hytrach, diffyg gwleidyddiaeth Gymreig. Mae'r Cymry'n anffodus wedi cael eu dysgu a'u gorfodi i dderbyn 'politics' y Sais ac mae'r rhan fwyaf ohonynt erbyn hyn yn meddwl nad oes dim o'i le mewn sefyllfa o'r fath. Mae'r *brain washing* mae Lloegr wedi ei wneud yng Nghymru wedi bod yn effeithiol dros ben gan wneud y Cymry yn greaduriaid israddol a thaeog, yn barod i lyfu tin y Sais ac i feddwl bod Lloegr yn wlad bwysig, ac mai oddi yno y dylai popeth o werth ddod i Gymru — a hynny trwy orfod crefu yn dragwyddol amdano. Druan o'r fath bobl a'u meddyliau wedi cael eu crebachu er lles y Sais.

Achos holl drybini Cymru ar hyd yr oesau yw'r Ddeddf Uno, a phwrpas honno yw gwneud i ffwrdd â Chymru a'r Gymraeg a gwneud Cymru yn rhan o Loegr ac yn Seisnig. 'Politics' y Sais luniodd y ddeddf a dyna'r ddeddf y mae pleidiau Llafur, Torïaidd a Rhyddfrydol yn benderfynol o'i chadw mewn grym. I'r Sais, mae pleidiau'r Sais yn naturiol yn gweithio ac i'r diawl â Chymru a'r Gymraeg.

Tra deil Cymru heb ei gwleidyddiaeth ei hun a heb reolaeth gyflawn ar ei thir a'i bywyd, bydd yn dal i gael ei rhedeg er budd y Sais ac er colled i'w phobl ei hunan. Mae tua pedwar ugain o wledydd fu yng ngafael Lloegr wedi deall hyn a mynnu eu rhyddid a'u gwleidyddiaeth eu hunain. Mae'n debyg mai Cymru fydd yr olaf i ddeffro o'r *anaesthetic* Seisnig.

Er bod y sefyllfa'n ddrwg, mae arwyddion deffroad . . .

Fel hyn y mae'n gorffen, does dim mwy. Wn i ddim a'i dyna'r

ysgrif ar ei hyd, ynteu a oes tamaid ar goll. Y mae'n bosibl hefyd fod y darn a ddyfynnwyd o flaen hwn yn perthyn i'r un ysgrif, ond fe'u cynhwysais ar wahân, gan fod y ddau ddarn yn dangos teimladau cryfion Robin.

Yr Englynwr

O gofio cefndir teuluol Robin, does ryfedd yn y byd ei fod yn barddoni. Un o'i hynafiaid oedd Morris ap Robat o Dŷ'n Llidiart; ei gywydd ef i 'Lyn Tegid' yw'r gerdd gyntaf a gynhwyswyd gan O. M. Edwards yn *Beirdd y Bala*. Roedd Robert John Morris, tad Robin, hefyd yn barddoni ac yn fardd gwlad crefftus.

Y gŵr a roddodd Robin ar ben y ffordd ym myd y gynghanedd oedd Gwyndaf Davies, Llanuwchllyn. Cynhaliai ddosbarthiadau cynganeddu yn ei gartref ym Mryncaled, ac fe gafodd Robin, fel sawl un arall o lanciau'r ardal, y fraint o fynychu'r dosbarthiadau hyn.

Mewn sgwrs radio yn 1984, dywedodd y diweddar Tom Jones fod Gwyndaf Davies yn gwahodd hogiau ifanc yr ardal i ddod i'w lyfrgell ar nos Fercher, rhwng wyth a deg o'r gloch. Byddent yn astudio elfennau barddoniaeth, dadansoddi awdlau a chyfansoddi. Ymysg ei ddisgyblion yn ystod y tridegau roedd y Parch. Trebor Roberts (Parc), Owen Thomas, Robin Jac, Einion Edwards, Evan Roberts Henryd, Gwilym Rhys, Tom Jones ac amryw o rai eraill.

Wedi iddo symud i fyw o Fryncaled, bu'n cynnal aml i noson farddol yn ei lyfrgell yng Nglanrafon, yng nghwmni Geraint a Trefor Edwards, Robin Jac, Dic Trow, Dei Edwards, Tecwyn Jones ac eraill i fwynhau awr neu ddwy hwyliog, ac yntau yr adeg honno dros ei wyth deg oed.

Dyma gerdd deyrnged Robin iddo:

Robin Jac (ar y chwith) a Gwyndaf Davies y tu allan i Fryncaled

Gwyndaf Davies

Gwyndaf 'rol dal yn gyndyn — wedi mynd
Y mae o'i Lanuwchllyn;
Yn nydd ing anodd i ddyn
I'w angladd lunio englyn.

Ond efe yn ddiwyd fydd — yn nyddu
Cynganeddion newydd;
A llunio mewn llawenydd
Anadl yr Iôr 'n awdl y rhydd.

Fe roes hir lafur ar sirol lwyfan
A diwylliedig weledigiad llydan
Gyda'i feddwl clir, i'w dir yn darian
Y rhodd ei ynni heb radd o hunan
Engyl sy'n awr â'u cyngan — gresendo
'Un da wâs eto, nad yw i Satan.'

Yr englyn oedd hoff fesur Robin. Gadawodd ymhell dros gant a hanner ohonynt, y rhan fwyaf ar gefn pacedi sigarets, biliau, mân bytiau o bapur ac amlenni. Yr wyf wedi defnyddio rhai o'i englynion yma ac acw yn y llyfr, ac wedi dethol nifer eraill ohonynt a'u gosod gyda'i gilydd yng nghefn y llyfr.

Gyrrai englyn neu ddau yn aml i'r papurau lleol, yn enwedig i goffáu trigolion yr ardal, ac i groniclo troeon trwstan.

Cefnogai golofn farddol Mathonwy Hughes yn *Y Faner*. Byddai'r Parch. W. J. Edwards yn taro ar Mathonwy Hughes yn aml yng Ngwasg y Sir yn y Bala ac mae'n siŵr ei fod wedi meddwl mai W.J. oedd yn gyrru'r englynion iddo. Hynny a barodd iddo roi'r Parchedig o flaen R. J. Edwards sawl tro gan beri i Robin gael pyliau o chwerthin aflywodraethus.

Pan gychwynnodd Alan Llwyd ei golofn farddol yn *Y Cymro*, Robin oedd y cyntaf i gyfrannu iddi.

Bu'n cynganeddu hyd at y diwedd, bron. Pan oedd Robin yn wael yn ei wely, câi gyfle ar adegau i feddwl ac i saernïo englyn. Cafodd gyfle, hefyd, i hyfforddi rhai o ieuenctid ei ardal yn y grefft o lunio englyn (yn ogystal â'u hyfforddi sut i ddal pysgod!).

Fe fyddai'n barddoni llawer, englynion ran amlaf, ar gyfer cyfarfodydd bach lleol. Gan y byddai i bob capel, bron, ei gyfarfod cystadleuol, yr oedd digon o gystadlu yn yr ardal. Yn amlach na pheidio, fyddai Robin byth yn mynychu'r cyfarfodydd, a phe byddai ei englyn wedi dod yn gyntaf, fyddai neb yno i ateb i'r ffugenw. Doedd neb byth yn siŵr pwy oedd wedi ennill, ond fe fyddai pawb yn amau mai Robin oedd o.

Gallai fod yn cynganeddu hyd yn oed yn ystod oriau'r nos. Wyddech chi ddim ble i gael Robin. Yn y pumdegau, petaech yn postio llythyr ym mhost Llanuwchllyn unrhyw adeg hyd at bedwar y bore, fe gâi ei ddanfon y bore wedyn os oedd cyfeiriad lleol arno. Gwelodd Ifor Owen ei hun yn mynd i bostio'n hwyr yn y nos lawer gwaith, a'r unig un o gwmpas fyddai Robin, yn y car, fel arfer, rhwng y Llan a'r Pandy, yno'n eistedd yn meddwl am syniadau, neu wrthi'n cynganeddu. Fe'i gwelech yn aml iawn yn hwyr yn y nos, neu'n gynnar yn y bore. Rhaid cofio y byddai'n potsio ac yn gwneud pethau eraill yn ystod yr oriau hynny hefyd.

Byddai'n cystadlu'n aml yn yr eisteddfodau lleol, a hefyd yn y Genedlaethol bob blwyddyn ar yr englyn neu'r englyn digri. Ceir enghreifftiau o'i waith yn y gyfrol werthfawr honno, *Llên y Llannau*, a gyhoeddir yn flynyddol, ac sy'n cynnwys cyfansoddiadau eisteddfodau Llangwm, Llanuwchllyn, Llandderfel a Llanfachreth: Mae gan ein diwylliant ddyled fawr i bobl fel Emrys Jones, Llangwm, petai ond am ei ymdrech i sicrhau ymddangosiad y gyfrol ryfeddol hon bob blwyddyn yn ddi-ffael.

Dyma rai o lwyddiannau R.J. a ymddangosodd yn *Llên y Llannau*:-

Eisteddfod Llandderfel 1958: — Englyn (Cydradd 1af)

Meri Jên

Rhyw asyn wisga drowsar — base'n well
(Bisin iawn) mewn blwmar;
Dulliau hefyd a llafar
Merchetaidd, gweddaidd a gâr.

Eisteddfod Llandderfel 1974: Englyn digri (1af)

Babi Mam

Y diwrnod 'rôl ei phriodi — Rhobat
Wnaeth rywbeth i'w chroesi,
Ymaith aeth at ei mami
Yno mae nawr am wn i.

Wrth gyflwyno'r buddugwyr sydd â'u gwaith yn y gyfrol ceir hyn am Robin:

> **R. J. Edwards** — Er gorfod rhoi'r gorau i fyd y beic modur ers tro deil Robin Jac o Lanuwchllyn yn ŵr sicr ei drawiad ym myd y canu caeth.

Eisteddfod Llandderfel 1975: Englyn digri (cyd.1af)

Y Ceffyl Blaen

'Rôl gwneud stŵr mae'n siŵr o sori — heb le
Ar ben blaen y siandri;
Ond di-les yn y tresi
Lwmp o ful sy'n glamp o 'Fi'.

Eisteddfod Llandderfel 1976: Englyn digri (1af)

Yr Ymffrostiwr

Un hybarch ei efaill Jabes — eilun
Trigolion yr Andes
Brawd sydd â chymaint o bres
Yn union â'r Frenhines.

Eisteddfod Llanuwchllyn 1976: Englyn digri (1af)

Pluo

Mentrais farn a phlu arni — oedd yn wir,
Roedd hi'n iâr reit deidi;
Mor hawdd oedd im roi iddi
Hawliau oes i 'mhluo i.

Eisteddfod Llanuwchllyn 1968: Englyn digri (1af)

Seffti Pin

Heb bres i brynu bresus — hwn yw'r pin,
Feri peth medd musus;
Ond 'tae ras i droi trowsus
Hawdd i Crad fydd baeddu crys.

Pan ymddangosai rhestr testunau'r Eisteddfod Genedlaethol bob blwyddyn byddai Robin yn bwrw iddi ar unwaith i gyfansoddi, er bod ganddo fisoedd i baratoi'r englynion. Ail-feddwl a newid a dileu wedyn, a gofalu postio (y Parch. W. J. Edwards fyddai'r postmon yn aml, yn enwedig yn ystod y blynyddoedd olaf) ymhell cyn y dyddiad cau. Daeth i'r dosbarth cyntaf gyda'i englyn a'i englyn digri droeon, ac fe fu'n agos iawn at y brig ar un neu ddau achlysur.

Yn ei gopïau ef o'r *Cyfansoddiadau*, mae wedi ysgrifennu nodiadau ac enwau yma ac acw, ac hefyd wedi tanlinellu ei englynion ef yn y gystadleuaeth, felly gellir codi ei englynion ef ac unrhyw sylwadau a wnaed arnynt. (Y mae 'ffrae' Eisteddfod Bangor yn cael ei thrafod yn nes ymlaen, a down ati yn y man.)

Rhydaman 1970

Testun yr englyn oedd 'Argae'. Roedd gan Robin bum englyn i mewn yn y gystadleuaeth. Y gorau ohonynt oedd yr un o dan y ffugenw *C.M.J.* Yn ôl y beirniad:- 'Di-flewyn-ar-dafod yw *C.M.J.*'

Ar y waun lle bu'r Crynwr — a'r hygar
Gymreigaidd amaethwr
Saif y wal sy'n dal y dŵr
Roes Bala i'r ysbeiliwr.

Mewn dosbarth is y mae ei englyn dan ffugenw *Celyn*, a'r dosbarth o dan hwnnw mae *Lleifiad, Tairfelin* ac *Aswan*. Dim ond esgyll *Aswan* sydd wedi aros:

A diffrwyth dywod Affrig
Hwn o'i champ ry rawn a chig.

Bro Dwyfor 1975

Testun yr englyn digri oedd 'Bwgan'. Y beirniad oedd y Prifardd John Evans, a dyma ddyfynnu o'r feirniadaeth (gan gynnwys englyn Robin):

. . . dechrau efo'r dewryn a eilw ei hun yn *Anobeithiol*:

Fy englyn aeth i'r Genedlaethol — hwn
Sydd yn wir anorchfygol,
Dôi imi lwydd ond am lol
Rhyw hen adyn beirniadol.

Y mae ganddo un arall, yn yr un mowld, a'r ddau yn taro'r gwaelod yn deidi. Diolch iddo am roi'r gic gynta i'r bêl ac i'r beirniad.

Aberteifi 1976

Testun yr englyn oedd 'Gwaed'. Dyma un Robin:-

Un Iesu groeshoeliasant — i roi gwerth
Ar y gwaed a'i bryniant
Onid blin fel rhed ei blant
I oferedd difeiriant.

Testun yr englyn digri oedd 'Dŵr'. Dyma sylw'r beirniad, Islwyn Jones:

. . . ac i Dryweryn yr aeth *John Abel* yntau:

Rhof lawer i Dryweryn — o'r swigen
Rhois wagiad sawl blwyddyn
Heb helynt cadd Lerpwlun
'Nghymorth i, i lenwi'i lyn.

Caerdydd 1978

Testun yr englyn digri oedd 'Yn eisiau-gwraig' — englyn ar ffurf hysbyseb. Dyma hefyd ddyfynnu o feirniadaeth W. D. Williams:-

Gwerthwr Ieir

Am wraig mae Wil yn chwilio — o rai blin
Tair o'r blaen fu ganddo;
Un annwyl, ffoniwch heno:
Tre tair iâr rhif tri tri O.

Buasai'n well gennyf weld y dyn ffowls yn archebu gwraig drosto'i hun na thros Wil. Hoffaf yr 'un annwyl' ar ddechrau'r esgyll yn fawr iawn ac yn arbennig enw'r dref yn y llinell olaf. Mae cymar dref iddi yn rhywle ar y gororau 'na yn arddel yr enw Three Cocks.

Er ei allu cynganeddol, deuai natur y rôg allan ambell dro, hyd yn oed wrth gystadlu mewn cyfarfodydd lleol. Un tro, roedd Mered Jones wedi bod yn Llanystumdwy.

'Gwranda, Robin,' medde fo, 'dwi 'di cael un dda.'

'Be 'di Jôs?'

'Englyn i'r *mini skirt*, Robin.'

'Duw, gad i mi ei gael o, wa.'

Yna dyma fo'n estyn pensel allan yn syth:

Mae hon yn dwt, ond mae hi'n gwta — mae hon
Yn *highly* pethma:
Gyrrodd hon y dynion da
Gam arall i Gomora.

'Duw, blydi grêt, pwy wnaeth o wa?'

'Dwn i ddim ond mi gath o gynta mewn steddfod tua Llanystumdwy 'na.'

Ychydig o amser wedyn, roedd hanes Robin yn y papur lleol wedi ennill gyda'r englyn yma yn rhywle, ond ei fod wedi twtio cryn dipyn arno. Doedd dim angen iddo wneud beth wnaeth o, gallai sgrifennu englynion cystal ei hun, dim ond fod rhyw hen ysfa, rhyw ddiawledigrwydd efallai, yn ei yrru o i wneud y ffasiwn beth.

Doedd dim amheuaeth o gwbl am ei allu cynganeddol. Un tro, roedd Dei Edwards yn digwydd bod yn gwneud gwaith ar ryw gar a safai ar fuarth yr Hendre Mawr ar y pryd. Yn sydyn, dyma Robin yn gweiddi:

'Damia, mae'n gyfarfod Peniel heno, wa.'

Emlyn Llwyn Llwydyn, y fferm agosaf at yr Hendre Mawr oedd yn beirniadu'r farddoniaeth, a'r 'Ffliw' oedd testun yr englyn. Dyma Robin yn meddwl am rhyw eiliad neu ddau. Yna daeth yr englyn allan yn syth, heb oedi dim:

> Yn rhidyll mae 'nhrwyn i'n rhedeg — tra'n safn
> Yn troi'n sych 'run adeg;
> Eisoes mae'r goes am roi gweg
> A chwynaf toc ychwaneg.

Ysgrifennodd yr englyn ar gefn paced sigaréts gwag.

'Cer â fo i Emlyn wa,' meddai Robin. Roedd Dei Edwards wrthi'n cychwyn, a dyma Robin yn gweiddi ar ei ôl.

'Tyrd yma!'

Roedd o wedi cyfansoddi englyn arall, ond yn anffodus ni fedrai Dei Edwards ei gofio. Dyna pa mor chwim ei feddwl oedd Robin, a dyna'r safon yr oedd yn gallu ei gyrraedd, hyd yn oed mewn ychydig eiliadau.

Wrth gloi'r bennod hon, rhaid diolch o galon i'r rhai hynny sy'n cofio ac sydd wedi bod mor barod i adrodd englynion Robin oddi ar eu cof. Mae'n dda, hefyd, fod cymaint o bacedi sigarets gwag o gwmpas ar y pryd i Robin allu ysgrifennu llawer o'r englynion hyn!

These cigarettes are made from the
FINEST VIRGINIA TOBACCOS

Yn ddigywilydd y gelyn — fynnodd
~~Ei~~ afrwydd ~~Hygwerthyn~~
Ar draws y Sais dengys hyn
Raid difaeo ~~...~~ i'w dafod tafodyn.

PLAYER'S
NAVY CUT

EACH CIGARETTE IS STAMPED

PLAYER'S
"MEDIUM"
NAVY CUT

Ymrysonau a Chyngherddau

Yn y blynyddoedd a ddilynodd yr Ail Ryfel Byd, ar ddiwedd y pedwardegau a thrwy'r pumdegau daeth ymryson y beirdd yn boblogaidd iawn, yn enwedig ym Mhenllyn a'r ardaloedd cyfagos lle y cynhaliwyd gornestau rhwng timau y pentrefi lleol yn gyson. Roedd Robin yn aelod o dîm Llanuwchllyn yn yr ymrysonau.

Un noson, cynhaliwyd ymryson yn hen ysgol y Llan, Llanuwchllyn ar noson oer yn y gaeaf. Roedd tîm Llanuwchllyn yn ceisio gorffen tasg a osodwyd iddynt, ac yn eistedd o flaen tanllwyth o dân, yn pwyso ar y giard o'i flaen, roedd Robin. Gwisgai gôt uchel newydd sbon, un lwyd a belt am ei chanol.

'Robert John,' medde rhywun o'r stafell arall. Aeth Robin i mewn. Dyma andros o oglau drwg yn codi, fel petai rhywbeth ar dân:

'Hendia Robin,' medde rhywun, 'mae dy gôt di ar dân.'

Rhoddodd un naid drwy'r drws. Yr oedd un ochr wedi llosgi'n llinell felen, ond erbyn yr wythnos wedyn yr oedd Robin wedi defnyddio'r belt a'i wnïo fo i'r darn a losgodd — roedd hi fel newydd unwaith eto.

Yn nhîm Robin yr adeg honno, fe fyddai rhyw ddau neu dri o laslanciau, a rheiny heb fawr o syniad am gynganeddu. Robin fyddai'n gwneud y tasgau i gyd, bron.

Cafwyd tasg un noson gan y Meuryn, Owen Thomas o'r Parc. Fel yr oedd o'n gorffen rhoi llinell i Robin er mwyn iddo ei hateb, roedd Robin yn ei hateb yn y fan a'r lle. A llinell anfarwol oedd hi hefyd. Cefndir y dasg oedd fod Nansi Richards, Telynores Maldwyn, yn chwaer i wraig Cwm Tylo. Roedd yr hen greadur oedd yn byw yno yn drwm iawn ei glyw. Y llinell a gafodd Robin oedd:

Mae telyn yng Nghwm Tylo

A'r ateb a ddaeth fel fflach:

Mae telyn yng Nghwm Tylo
A dyn a'i glust o dan glo.

Roedd o fel mellten, ei feddwl chwim yn gallu dod ag ateb i'r dasg yn syth.

Mewn ymryson arall yn hen ysgol y Llan, roedd y tîm wedi cael testun yr englyn cywaith, ond roedd Robin mor brysur yn helpu'r lleill, mi anghofiodd bopeth amdano.

Pan alwyd ar y tîm i ddod â'r englyn cywaith ymlaen:

'Damia,' medde Robin, 'dan ni ddim wedi ei wneud o.' Testun yr englyn oedd 'Pwmp y Llan', i'r pwmp a safai gerllaw hen gartref Robin. Crafodd ei ben, a dyma'r englyn hwn allan ymhen chwinciad:

Hir erys ger Bro Aran — yn wastad
Mae'n ddistaw sefyllian;
O dir gwlyb, hwn y dŵr glân
Heb ballu bwmpia allan.

Mae Emrys Jones, Llangwm yn cofio Robin fel ymrysonwr da iawn. Dim ond un llinell o'i waith roedd o'n ei chofio, honno a gafwyd gan Robin mewn ymryson yn Llangwm:

Gair yw hwn am *bugger all*.

Erbyn y saithdegau, pan ddaeth adfywiad unwaith eto yn yr ymrysonau, roedd Robin wedi gorfod rhoi'r gorau iddi oherwydd cyflwr ei iechyd, yn bennaf oherwydd fod ei wynt yn fyr.

Cyn i Barti Godre'r Aran ddod i'r amlwg, roedd amryw o fân bartïon yn yr ardal yn mynd o gwmpas i gadw cyngherddau.

Yn ystod y Rhyfel, cododd Robin barti i fynd i Birmingham i gynnal noson (yn 1944):

Parti Aran yn Birmingham

Daeth cynulliad lluosog o Gymry Birmingham ynghyd i Digbeth Institute ,y nos Sadwrn o'r blaen, i wrando ar gyngerdd gan Barti Aran, Llanuwchllyn, a chafwyd ganddynt noson drwyadl Gymraeg yn deilwng o ddiwylliant ardal Penllyn ar ei orau.

Y datgeiniaid oedd Elizabeth Rowlands, soprano; Beti Pugh, telynores; Jennie Williams, cyfeilydd; Gwilym Roberts, tenor; R. W. Griffiths, bariton, a Bob Charles, adroddwr. Yr oedd y trefniadau yng ngofal Robin J. Edwards, a chafwyd ganddynt raglen wych o ganeuon gwladgarol, hen a diweddar, a oedd yn wirioneddol wefreiddiol.

Er mai newydd ei ffurfio y mae'r parti hwn cyraeddasant eisoes safon uchel iawn, ac y mae ganddynt ragolygon am ddyfodol disglair dros ben.

Parti o ardal y Parc, wedi ei godi yn arbennig ar gyfer y cyngerdd hwn oedd Parti'r Aran. Un aelod ohono oedd Elizabeth Rowlands (sy'n fwy adnabyddus erbyn hyn fel Lisa Erfyl). Cynnal noson ar gais Delwyn Phillips, un o hoelion wyth y Blaid yng Nghanolbarth Lloegr oeddynt, a changen y Canoldir o Blaid Cymru oedd wedi trefnu'r noson, yn un o neuaddau'r *Digbeth Institute* yn Birmingham. Aeth Robin a'r merched yn ei gar, gyda'r lleill yn dilyn, ond fe dorrodd y car arall i lawr yn Wolverhampton, ac fe fu'n rhaid i griw Robin gynnal hanner cyntaf y noson ar eu pen eu hunain, hyd nes i'r lleill gyrraedd. Arhosodd Robin a thair merch yng nghartref Delwyn a Lil Phillips, a oedd uwchben y siop ddillad yr oeddynt yn ei chadw. Bach iawn oedd y cyfleusterau. Bu'n rhaid iddynt gysgu ar soffa ac ar lawr, gan ddefnyddio darnau o frethyn o'r siop i'w cadw'n gynnes. Yn ystod yr arhosiad o ddau neu dri diwrnod, daeth Robin i gysylltiad â gwerthwr ceir ail-law, ac fe wnaeth dipyn o fusnes ag ef.

Bu Robin, hefyd, yn sgrifennu geiriau i'r Triawd — Triawd Pen Bont, ac yn eu hanfon o gwmpas yn ei gar i gyngherddau, ar ddiwedd y pedwardegau a dechrau'r pumdegau.

Yr arferiad oedd i Robin sgrifennu geiriau ar ôl iddo gael yr alaw gan y Triawd. Yna byddai Mrs Jones yn ei chwarae ar y piano i weld os oedd y geiriau'n ffitio'r alaw. Sgrifennodd ambell i gân, yr un ryfeddaf mae'n debyg, wrth farnu ei theitl, beth bynnag, oedd: 'Ysgaden Gymysgedig.'

Y Llythyrwr

Ar adegau yn ystod ei fywyd, roedd yn llythyrwr heb ei ail, yn enwedig pan oedd angen mynegi ei gariad at ei wlad a'i iaith. Y *Daily Post* oedd y targed mwyaf poblogaidd i'w lythyrau, a byddai'n fflamio ar ôl gweld y doctora a fu ar ei waith. Byddai'n llythyru llawer yn y Gymraeg hefyd, yn enwedig yn *Y Cymro*. Gallai — ac fe wnâi hynny'n aml — fynegi safbwyntiau eithafol iawn, yn enwedig wrth sôn am Iwerddon. Anghytunai'n llwyr â Wyn Roberts, Aelod Seneddol Conwy, oedd â cholofn wythnosol yn *Y Cymro*, ar un adeg. Dyma ddau o'i lythyrau yn ymateb i golofn Syr Wyn.

(*Y Cymro* Medi 29, 1971)

Fel Pob Tori

Does dim angen dweud mai Tori yw A.S. Conwy, ond bûm yn meddwl ei fod yn Dori gydag un o leiaf o wydrau ei sbectol yn Gymreig.

Cefais fy siomi ynddo pan ddarllenais ei erthygl bythefnos yn ôl ynglŷn â Gogledd Iwerddon, a bellach rwy'n deall bod dau wydr ei sbectol wedi eu lliwio i edrych ar Iwerddon (a Chymru) 'run fath â phob Tori o Sais.

Gresyn na fuasai'n taflu ei sbectol o'r neilltu ac edrych ar Ogledd Iwerddon trwy wydrau Cymreig neu Wyddelig — gwydrau dipyn glanach na'r rhai Seisnig sydd ganddo.

Fel mae'n gwybod yn iawn, gwraidd yr helynt yw'r ffaith i Iwerddon gael ei thorri'n ddwy gan Loegr ac er bod mwyafrif. llethol y wlad eisiau dod yn rhydd o grafangau'r Sais, bu i lywodraeth Llundain swcro a chynnal y lleiafrif bychan oedd yn deyrngar i'r *Union Jack*. Saeson ac Albanwyr wedi ymsefydlu yn yr Ynys Werdd oedd y lleiafrif yma ac fel mae'r Saeson yn gwneud ym mhobman, bu iddynt reoli'r Gogledd gyda chefnogaeth Llundain er eu lles eu hunain a hynny'n gythreulig o ddiegwyddor.

Yr unig ffordd i sicrhau heddwch parhaol yw i'r *Union Jack* a'i chynffon ymadael o Iwerddon a gadael i'r wlad gael ei rheoli i gyd o Ddulyn fel y dylasai fod wedi gwneud hanner canrif yn ôl.

Fe ddaw helynt cyffelyb yng Nghymru hefyd pe na cheir hunanlywodraeth yn fuan, a bydd haneswyr y dyfodol yn rhoi'r cyfrifoldeb am yr helynt ar ysgwyddau pydredig y rhai fu'n cefnogi llywodraeth Lloegr ar 'Hen Wlad ein Tadau' a'r rhai gyfrifir fwyaf cyfrifol am eu anghyfrifoldeb i'w gwlad eu hunain fydd ein tri dwsin o Aelodau Seneddol presennol.

Gadawer i'r Saeson, Gwyddelod, Cymry a'r Albanwyr reoli eu gwledydd eu hunain er lles eu pobl eu hunain, yn gwbl rydd, a dyna ddiwedd ar helyntion a rhyfeloedd tragwyddol yr Imperialaeth Doriaidd, Lafurol, Ryddfrydol Seisnig. Wedyn, caiff Wyn Roberts A.S. amser a heddwch i lanhau ei sbectol yn lle cynrychioli Llundain yn Nyffryn Conwy, ac yn *Y Cymro*.

R. J. Edwards,
Llanuwchllyn.

(*Y Cymro*, Chwefror 16, 1972)

Problem Iwerddon

Sylwaf nad yw A.S. Conwy wedi newid sbectol er pan anfonais fy llythyr diwethaf ynglŷn â'i erthygl flaenorol ar helynt Iwerddon.

Yn wir mae ei sbectol wedi mynd yn futrach a'i 'Nodion Gwleidyddol' yr wythnos diwethaf y peth mwyaf ffiaidd-gamarweiniol ddarllenais yn *Y Cymro* erioed.

Rwyf yn rhoi ei erthygl mewn ffrâm fel enghraifft o ysgrif Cymro sydd wedi ymostwng i'r gwaelodion i geisio cyfiawnhau trais Lloegr a'r blaid wleidyddol y mae'n gi bach iddi. Hoffwn gymryd ei erthygl bob yn gymal i'w datgymalu, ond rwy'n ofni na fuasai'r golygydd yn caniatáu'r gofod.

Fodd bynnag, gan i Wyn Roberts roi ar ddeall bod y 'rhanbarth' (6 sir) yn 'rhan o Brydain' rwyf am iddo ddeall unwaith ac am byth mai rhan o'r Iwerddon yw ac nid rhan o Brydain.

Mae'n sôn am 'ddadl ynglŷn â iawnder deddfol uno De a Gogledd.' Pa 'iawnder deddfol' mae'n feddwl tybed? Un hunangyfiawn y Sais wedi ei orfodi â'r gwn?

Ni fu i'r I.R.A. erioed gytuno â'r ddeddf anghyfiawn a disynnwyr a dorrodd Iwerddon yn ddwy.

Mae'r rhyfel yn parhau ers hanner canrif ac mae'n bryd rhoi terfyn arno trwy i'r casgliad o gythreuliaid Llafur a Thorïaidd sydd yn Westminster roi'r gwn o'r neilltu a dod i delerau â'r I.R.A. sy'n brwydro dros achos perffaith gyfiawn, sef undod Iwerddon.

Mae'n bryd, hefyd, galw'r milwyr o Gymru yn ôl o Iwerddon yn lle eu bod yn cael eu gorfodi i gyflawni budrwaith aelodau seneddol sydd byth a beunydd yn uchel eu sŵn dros gyfiawnder ac yn gwneud dim i'w hyrwyddo ond yn unig pan fydd o fantais iddynt eu hunain.

R. J. Edwards, Llanuwchllyn.

Ond nid Wyn Roberts oedd yr unig Aelod Seneddol i ddod o dan ei lach:-

Clochdar ar Domen y Sais

Ni fedrwn lai na chwerthin pan glywais ar y newyddion Sadwrn diwethaf bod ceiliog dandi coch, gwyn a glas o aelod seneddol yn beirniadu corff crefyddol.

Tybed bod Wil Edwards yn meddwl ei fod yn Dduw bach, yn gwybod popeth a bod ei farn yn un o bwys? Rwy'n ofni, er cymaint ei glochdar ar domen y Sais, nad yw gwybodaeth yr A.S. mwy na minnau, yn eang iawn, ac yn enwedig felly ym myd crefydd.

Rwy'n siŵr fodd bynnag er mai rhyw fath o Fethodist rwyf, bod yn Undeb yr Annibynwyr, ddynion llawer cymhwysach a galluocach nag A.S. Meirion i benderfynu beth i'w argymell i'r enwad i sicrhau cyfiawnder a daioni.

R. J. Edwards, Llanuwchllyn.

Dangosodd ei gefnogaeth yn agored fwy nag unwaith i Gymdeithas yr Iaith. Dyma rannau o ddau o'i lythyrau:

> Rwyf am ddweud yn blaen mai fy marn i yw eu bod yn fechgyn a merched ardderchog, y genhedlaeth orau o bosibl welodd Cymru erioed, yn argyhoeddiedig o gyfiawnder eu hachos ac yn barod i aberthu a dioddef carchar y Sais er ein mwyn ni a Chymry'r cenedlaethau i ddod.
>
> Er nad oedd a wnelo ddim â'r iaith, aeth A. G. Evans yn ei llythyr i sôn am Gymry wedi gwneud yn dda (yn ei feddwl ef) yn yr Amerig a mannau eraill. Pa fantais i Gymru yw hynny?
>
> Tybed mai dod ymlaen yn y byd yw ei syniad am bwrpas bywyd? Os felly, Duw a'n gwaredo rhag y fath safon isel o feddwl.

Bu'r A. G. Evans yma yn destun ambell i lythyr ganddo.
Ac o lythyr arall:

> Dydd Gwener diwethaf bu i lywodraeth yr India hysbysu ei bod yn rhoi pensiwn i bob un o'i thrigolion gafodd 6 mis neu fwy o garchar gan Loegr am frwydro yn erbyn llywodraeth y Sais yn India. (Gofalodd papurau'r Sais am adael y newyddion o'r golwg). Beth tybed y mae [A.G. Evans] yn ei feddwl o hynny? A fuasai hi yn barod i dalu yr un modd i rai fel John Jenkins, Ffred Ffransis, Dafydd Iwan a llawer o rai eraill sydd wedi dioddef carchardai'r gelyn am geisio cyfiawnder i Gymru?

Barn Robin am y papurau Seisnig fel y *Daily Post* oedd:-

Propaganda wedi ei bwyso'n drwm a chyfrwys yn erbyn yr ochr Gymreig mae'n [A.G. Evans] ddarllen mewn papurau Seisnig, y llythyrau cryfaf wedi eu dethol ar un ochr a'r rhai gwanaf ar yr ochr arall. Medraf ei sicrhau ond iddi anfon llythyr cryf o'r ochr Gymreig y caiff gerdyn ac arno'r geiriau '*Your letter is being considered for publication*' a dyna'r diwedd. Er mwyn ymddangos yn amhleidiol ceir ambell ddarn o eiriau Cymry o'r iawn ryw ond i gadw'r ddesgil i bwyso'n drwm i'r ochr arall rhoir cyhoeddusrwydd ddigonedd i eiriau aelodau seneddol o'r pleidiau Seisnig. Dyma sut mae'r system ddieflig mae'r Sais yn ei alw'n *free speech* a democratiaeth yn gweithio yng Nghymru.

Ac eto, daw ei genedlaetholdeb yn gryf i'r brig yma, ac yntau erbyn hyn wedi canfod mai merch yw A. G. Evans:-

> Os yw [A. G. Evans] am wella ei gwybodaeth medraf ei chymeradwyo i ddarllen *Y Faner* a'r *Ddraig Goch* a chefnogi ymgyrch Cymdeithas yr Iaith am radio a theledu annibynnol i Gymru.

Ffrae Englyn Bangor

Testun yr englyn yn Eisteddfod Genedlaethol Bangor 1971 oedd 'Genwair' (neu gwialen bysgota). Y beirniad oedd J. T. Jones. Yn ôl yr arfer, rhoddodd Robin englyn i mewn i'r gystadleuaeth, yn enwedig gan fod y testun yn apelio cymaint ato, ac yntau'n gymaint o bysgotwr. Dyma'r englynion sy'n berthnasol i'r ddadl (gan fod Robin wedi ysgrifennu enw'r awdur wrth ochr pob englyn yn y gystadleuaeth yn ei gopi ef o'r *Cyfansoddiadau*):-

Treiddia'r wefr hyfryd drwyddi — swyn y plwc
Cusan plu ar genlli;
Uwch y dŵr heliwr yw hi,
Llaw addas sy'n llyw iddi.
Ffugenw: EUROS (J. Ll. Roberts, 'John El' *Y Faner*)

Pan chwifiaf hon uwch afonydd, — esgus
Yw'r pysgod a'r tywydd
I hawlio'r iach awel rydd
A mwyniant yn y mynydd.
Ffugenw: ZULU (Robin Jac)

Yn ôl y beirniad: 'Cyffes bersonol seml, a dim arall yw englyn *Zulu*; ond awgryma'r ffugenw nad genweiriwr dibrofiad mohono ac y gall'sai'n hawdd fod wedi canu'n fwy 'testunol'.'

Tridarn y melfed-droediwr — a hylaw
Wialen y chwipiwr;
Bŵa tyn a dyn o'r dŵr
Aur dyli i law'r daliwr.
Ffugenw: GODRE'R FOEL (R. Goodman Jones, Mynytho)

Yr englyn buddugol:

Dawns hud blaen-adain sidan — amryliw,
Fflam yr haul ar dorlan,
A'r brath dur ger y berth dân
Yn llorio'r brithyll arian.

Ffugenw: EIC WALTON (John Evans, Penrhyndeudraeth)

Yn y *Cyfansoddiadau*, mae Robin wedi ysgrifennu'r canlynol mewn pensel o dan yr englyn buddugol:

Pluen heb ddim ond blaen adain, dim troed, corff na chynffon. Amryliw?
Brithyll *arian* a phluen yn yr haul?
Berth dân?

Yn nhudalennau'r *Cymro* am rai wythnosau wedyn, fe aeth yn ffrae llythyrau. Dyma dri o lythyrau Robin i ddangos ei ddawn, ac i roi blas o'r ffrae:-

(Awst 18, 1971)

Nid y Gorau Gafodd y Wobr Gyntaf

Er i'r beirniad fod yn garedig dros ben i osod fy englyn i'r 'Enwair' ymhlith y detholedig hanner dwsin yn y Genedlaethol rhaid i mi anghydweld yn ofnadwy â'i ddewisiad o englyn buddugol.

Peidied neb â meddwl mai fy englyn fy hun fuaswn yn ddewis gan mai fy newis heb os nac onibai fuasai'r englyn dan y ffugenw *Euros*, pwy bynnag yw hwnnw.

Gyda phob ddyledus barch i'r buddugol, yr hen gyfaill rhadlon John Evans, credaf y buasai 'Pysgota Pluen' yn well testun i'w englyn na 'Genwair' ond mae'n well bardd na physgotwr neu fuasai o byth yn meddwl am bluen gydag aden 'amryliw' i ddal brithyll nac ychwaith yn disgwyl dal 'brithyll arian' gyda phluen yng ngwres yr haul. Efallai mai dyna pam roedd yn dal *sardines* dro yn ôl pan ofynnwyd iddo gan ŵr parchedig faint ddaliodd, a dyna'r ateb mewn fflach.

'Daliais haid ond y diawl sy'
Ar rai bychain bu'r bachu.'

Dyna gwpled mae'n siŵr oedd yn ffeithiol gywirach na'i englyn ym Mangor.

Ond mewn difrif beth sydd o'i le ar englyn *Euros*? Mae yn disgrifio'r teimlad yn yr enwair pan fo'r brithyll yn cydio'r pry ac yn taflu pluen i ddisgyn yn ysgafn fel gwybedyn ar y dŵr, a'r enwair trwy'r amser 'Uwch y dŵr' yn llaw pysgotwr medrus. Englyn da a chynhwysfawr yw un *Euros*, yn gyfangwbl ar y testun, yn gynganeddol gywir ac heb wastraffu sill er mwyn cynghanedd nac odl.

Rwy'n siŵr y cytuna'r boneddwr John Evans ar unwaith. I rai sydd heb ddarllen englyn *Euros* dyma fo, a barned pawb drosto'i hun:

Treiddia'r wefr hyfryd drwyddi — swyn y plwc
Cusan plu ar genlli
Uwch y dŵr, heliwr yw hi
Llaw addas sy'n llyw iddi.

Os oedd beirniadaeth yr Englyn yn un ryfedd, roedd beirniadaeth yr Englyn Digri yr un mor ryfedd.

Gwir i'r beirniad ddweud bod safon anarferol o isel i'r gystadleuaeth Englyn Digri, ond tybed bod y 278 o englynion y ddwy gystadleuaeth i gyd mor wael â'r rhai wobrwywyd?

Mae'r ffaith i'r englynion y cyfeiriais atynt fod yn rhai buddugol Prifwyl 1971 bron yn anghredadwy.

R. J. Edwards,
Llanuwchllyn.

(Medi 1971)

Pluen Newydd Sbon!

Sylwais bod Mr M. Glyn Jones yn cytuno â mi ynglŷn â'r englyn buddugol (*Y Cymro* Awst 25) ond tybed wnaeth o sylwi bod pry neu bluen newydd sbon wedi dod i'r amlwg yn englyn y Prifardd John Evans.

Pry yw hwn heb gorff, traed na chynffon — dim ond adain. Na — does ganndo 'run adain, dim ond 'blaen adain' — 'amryliw'.

'Cynnil' oedd sylw'r beirniad. RHY gynnil fuasai brithyll Llanuwchllyn yn ddweud ac maen nhw'n feirniaid llygadog. Peryglus yw cynhyrfu nyth cacwn ac er bod cacwn a phedigri tua Mynytho, rwyf am fentro dweud yn groes i feirniaid Bangor trwy ddweud bod gan englyn Mr R. Goodman Jones (Godre'r Foel) er cystal yw, esgyll da a phaladr heb fod cystal.

I esbonio fy marn ac i bigo'r cacwn — Pam 'Tridarn' mwy nag un, dau, pedwar neu bump darn?

Onid yr enwair yw'r 'Tridarn' a'r 'wialen', ac felly pam gwastraffu geiriau?

Pam 'melfed'? Buaswn yn ei ddeall pe bae'n sôn am botsiar yn ceisio dod o fewn cyrraedd ergyd i ffesant. Oes clustiau gan bysgod Mynytho?

Rwy'n gofyn eto beth oedd o'i le ar englyn *Euros*? Hoffai mae'n siŵr fod wedi cael gwell gair nag 'addas' yn ei linell olaf ond mae'n englyn bendigedig ac nid oes modd rhoi unrhyw destun arall iddo ond 'Genwair'. Mae enw *Godre'r Foel* wedi ei ddatgelu a waeth i minnau gyfaddef mai fy un i oedd *Zulu* ac i mi gael beirniadaeth berffaith deg.

Hoffwn wybod pwy oedd *Euros*, englynwr gorau Prifwyl '71.

R. J. Edwards,
Llanuwchllyn.

A dyma ei lythyr olaf i gloi'r ddadl:-

Cytunwn — 'Godre'r Foel' ac 'Euros' yn Orau

Gan i englyn Bangor eisoes fod yn destun nifer o lythyrau, roeddwn wedi bwriadu i fy llythyr diwethaf i'r *Cymro* fod yr olaf — ond wyddoch chi be — mae cacwn Mynytho yn rhai milain ac am warchod y nyth i'r diwedd. Pwy eill eu beio am hynny? Maen nhw'n rhai da hefyd am chwilio am le gwan i geisio rhoi pigiad ond yn anffodus iddynt, maent y tro yma wedi methu darganfod gwendid ac o ganlyniad yn chwyrlïo o gwmpas cyn belled â Llundain ac yn breuddwydio am eu plentyndod ar lannau'r Soch. Testun y ddadl rhwng y cacwn a minnau oedd — Ai englyn *Godre'r Foel* ynteu un *Euros* oedd englyn gorau Bangor? Rwyf am gadw at y testun heb grwydro i Lundain na sôn am hen ewythr na dim arall.

Yn bersonol, y gair 'addas' yn englyn *Euros* faswn yn hoffi ei newid ond mae Mr M. Glyn Jones yn beirniadu'r gair 'cenlli'. Onid rhywbeth tebyg yw 'cenlli' a 'dylif'? Er bod *Godre'r Foel* yn amlwg yn pysgota pluen (chwipio), ac yn ôl Mr M. Glyn Jones mae yn iawn iddo wneud hynny ar 'ddylif' ond pan wneir yr un modd yn yr englyn o Benygroes mae'n 'ddisynnwyr' — wel, wel.

Soniais o'r blaen am y 'melfed droediwr' a'r 'chwipiwr' ym mhaladr *Godre'r Foel* ond mae'n siŵr i Mr M. Glyn Jones anghofio sôn am y gwastraff deusill yna. Arhoswch funud — mae mwy o wastraff gan fod nid yn unig 'melfed droediwr' a 'chwipiwr' ond 'daliwr' hefyd sef y pysgotwr DAIR GWAITH mewn un englyn. Yn y paladr hefyd yr enwair DDWYWAITH ('Tridarn' a 'wialen' ac yn yr esgyll eto 'dŵr' a 'dyli'.

Gwell i mi beidio crafu ychwaneg neu bydd 'Godre'r Foel' yn dwll. Pwy tybed fu'n dweud tua glannau'r Soch mai genwair tridarn yw'r enwair bluen orau? Barn arbenigwyr yw nad oes hafal genwair dau ddarn. Gofynner i Mr Moc Morgan. Os cofiaf yn iawn un dau ddarn oedd ganddo ym mhencampwriaeth Cymru mis Mai diwethaf ond fel mae Mr M. Glyn Jones yn dweud nid wyf yn gwybod dim am enwair na physgota a dyna mae'n siŵr pam y bu i mi ddefnyddio tridarn yn yr un bencampwriaeth. Nid wyf yn deall bod un o gacwn Mynytho wedi ennill lle i'r bencampwriaeth felly does wybod pa fath o enwair fuasai dewis Mynytho mewn gwirionedd.

I ddysgu pysgota, buddiol dros ben yw gwneud sylwadaeth fanwl ar bysgod ac felly beth fuasai i'r cacwn wylio brithyll mewn pwll cyfleus tan bont pan fydd lorri drom yn croesi'r bont.

Ond i'r cacwn a'r lorri beidio dod i'w golwg bydd y pysgod yn berffaith dawel.

Efallai y dylaswn ddweud bod dŵr yn SHOCK ABSORBER tra effeithiol ac felly lol i gyd yw'r 'melfed droedio' rhag i'r pysgod deimlo tirgryniad ond mater hollol wahanol yw pob symudiad gweladwy. Er bod Mr Goodman Jones (*Godre'r Foel*) yn un o englynwyr gorau'r genedl, rwy'n dal i gredu iddo gael ei drechu ym Mangor gan Mr J. Ll. Roberts (*Euros*).

Wnaiff y cacwn a minnau byth gytuno pa un o'r ddau ddioddefodd fwyaf o'r 'crydcymalau' ond cytunwn bod y ddau englyn yn llawer tebycach i englynion i'r 'enwair' na'r buddugol, felly wnawn ni ddim ffraeo.

R. J. Edwards,
Llanuwchllyn.

Credaf fod y tri llythyr uchod yn dangos dawn Robin Jac fel llythyrwr, fel beirniad, fel dadleuwr ac fel un i dynnu blewyn o drwyn. Y maent yn dangos hefyd, ei feistrolaeth o ddwy grefft — englyna a physgota.

Y Motobeiciwr

Dyddiau Cynnar

Plannwyd hedyn y diddordeb mewn motobeics yn gynnar iawn ym mywyd Robin gan fod ei dad yn gwerthu beics ac yn cadw garej i'w trwsio. Arferai Robin gyda'r mynd a dod a chyda motobeics yn cael eu trwsio o hyd yno. Yn wir, mae hanes am Robin yn cael blas ar reidio motobeic cyn ei fod yn ddeg oed.

I garej tad Robin y deuai Ap Rowlands, amaethwr y Weirglodd Ddu a'i *Grindley Precision* i'w drwsio a'i gadw mewn trefn. Motobeic â phedalau arno oedd hwn; daeth oddi ar y blociau cyn y Rhyfel Mawr, a doedd fawr o draed arno o'i gymharu â beics diweddarach wrth gwrs — ond dyna'r union beiriant yn ei ddydd i ysgogi dychymyg bechgyn anturus. Ar brynhawn Sadwrn, pan fyddai plismon Llanuwchllyn wedi mynd i'r Bala fe gymerai Robin a'i gyfaill, Bertie Roberts, 'fenthyg' y *Grindley*, a mynd am dro gydag ef am rhyw ychydig ar hyd y ffordd. Welwyd mohonynt gan neb, neu fe fyddai wedi bod yn andros o ffrae. O dipyn i beth daeth Robin, yn ifanc iawn, i ddeall motobeics.

Yn dilyn marwolaeth ei dad, ac yn ddiweddarch wedi i'w fam ailbriodi daeth y penderfyniad i symud i'r Hendre Mawr ac fel y dywedais yr oedd Robin yn flin iawn, gan ei fod wedi meddwl mai ef fyddai'n rhedeg y busnes ar ôl iddo dyfu'n ddigon hen i wneud hynny. Doedd ganddo ddim diddordeb mewn ffermio, ac felly, fel y gwelwyd eisoes, aeth i'r banc i weithio.

Yr adeg honno roedd Llandudno yn bell iawn o Lanuwchllyn ac yn ddieithr i fachgen ifanc fel Robin. Gan ei fod yn hiraethu am ei gartref, prynodd fotobeic er mwyn cael dod adref bob nos Wener i hela a physgota, a bod yng nhwmni ei ffrindiau a'i deulu. Yn ôl ei gyfaddefiad ei hun, fe fyddai'n 'gyrru fel ffŵl' a chadarnhaodd ambell un o'i gyfoedion ei fod yn gyrru'n wyllt trwy Gwmtirmynach ar ei ffordd adref.

Tra yn gweithio yn y banc cafodd ddamwain gyda'r motobeic. Ar y motobeic hwn, yr oedd y *twist grip* yn gweithio o chwith ac yn lle agor wrth droi atoch roedd yn agor wrth droi oddi wrthych. Canlyniad hyn oedd ei fod, wrth geisio stopio, wedi anghofio bod y *twist grip* yn gweithio o chwith, ac yn lle cau yr injan fe'i hagorodd, ac er mwyn osgoi taro rhywun, fe redodd i mewn i bolyn ar ochr y stryd. Ond doedd o ddim gwaeth, er hynny.

Yn ystod y cyfnod hwnnw pan oedd Robin yn y banc, daeth prifathro newydd i Gwmtirmynach o'r enw Beevers, ac fe godwyd diddordeb garw mewn motobeics ganddo. Yn ôl Jac Lloyd:

> O'n i'n 'nabod Robin yn ysgol y Bala. Wedyn, pan oedd o yn y banc, o'n i'n ei wylio fo'n dod adref trwy'r Cwm ar nos Wener, mi fydda fo'n gyrru'n ofnadwy trwy'r Cwm [Cwmtirmynach].
>
> Wedi 'i Beevers ddod yn brifathro i'r Cwm, mi ddoth yn 'sasiwn' motobeics yn Nhŷ'r Ysgol. Oedd 'na griw mawr yn cyrraedd, Robin Jac, Ifor Owen, Llew Glyn o Gelyn a Tecwyn Rowlands o'r Bala yn eu mysg. Oedd 'na resiad o fotobeics ar y wal y tu allan, a ninnau'n cael hwyl ofnadwy yn sôn am fotobeics, a dim byd arall. Dwi'n cofio Dwalad Tair Felin yn dod i fewn ar y ffordd i garu i fyny'r cwm. Oedd 'na griw ohonom ni yno, wrthi'n siarad am fotobeics, a hynny ddim llawer o ddiddordeb i Dwalad. Canu oedd pethaù Dwalad, oedd o wedi mynd i gornel arall efo Mrs Beevers i siarad am ganu.
>
> Wel, mi gododd Dwalad reit sydyn a dweud:
>
> 'Wel dwi am fynd, Mrs Beevers, a dwi am adael y drws cefn 'ma'n agored — i dipyn o fwg yr ecsôst fynd allan!'

Yn ôl Ifor Owen:

> Roedd yna frawdoliaeth ohonom yn y cylch, pawb a'i wahanol wneuthuriad o fotobeic. Yna, cyfarfod yn iard Ysgol Cwmtirmynach a chael ein gosod mewn corneli gan Beevers,

a hwnnw'n gwneud inni dynnu'r motobeics oddi wrth ei gilydd a'u gosod nhw'n ôl at ei gilydd. Mi ddysgom ni lawer yno.

Bu gan Robin amryw o fotobeics yn ystod y cyfnod hwn, gan gynnwys *Cotton, Velocette, Rudge* a *Norton*, ac er iddo gael ei siarsio gan y meddygon i beidio reidio motobeics, chymerodd o ddim sylw o'r cyngor.

Wedi iddo wella'n ddigon da ar ôl ei waeledd, dechreuodd fynd i rasio i gwrs Park Hall gerllaw Croesoswallt.

Cefais rai atgofion am yr adeg yma gan John Gittins Owen:

> Mi wnaeth o gychwyn rasio yn Park Hall pan oedd o yn y banc, rasio ar y cwrs yn y fan honno. Mi fues i efo fo droeon. Mi fydda' fo'n stripio'r beic cyn cychwyn ras yno, yn tynnu'r tanc petrol i ffwrdd a gosod rhyw hen botel i ddal digon o betrol iddo orffen y ras. Byddwn yn teithio ar y piliwn efo fo i Groesoswallt, ac yntau'n gyrru'n wyllt. Daliwn y botel fach yn fy llaw ar hyd y ffordd er mwyn iddo gael ei gosod yn lle'r tanc ar ôl cyrraedd.

Bu'n rasio llawer iawn yno, ond nid oes llawer o fanylion ar gael am ei berfformiadau. Un o'i wrthwynebwyr ar y cwrs oedd Jack Wilkinson, gŵr a oedd yn cadw siop fotobeics yn Wrecsam. Doedd o a Robin ddim llawer o ffrindiau. Trac cul oedd Park Hall, ac mewn un ras rhyw dro, roedd Jack Wilkinson yn cau gadael i Robin ei basio. Roedd Robin yn gynt nag ef o'r hanner, ond oherwydd culni'r trac ac antics hwn fedrai ddim ei basio.

'Wel,' meddai Robin wrtho'i hun, 'os nad oedd o am adael i mi ennill doedd yntau ddim yn cael ennill chwaith.'

Wrth fynd i gornel, rhoddodd Robin bwt i olwyn ôl Jack Wilkinson, ac fe ddaeth y ddau i ffwrdd oddi ar eu beics, a cholli'r ras.

Dechreuodd gael blas ar y cystadlu, a thua'r adeg hynny y dechreuodd ymarfer ar ffyrdd Llanuwchllyn a'r cylch, yn gyntaf dros y Garneddwen, ac yn raddol ymestyn ei gwrs, yn enwedig pan aeth i rasio ar Ynys Manaw.

Er mai ei iechyd bregus oedd yn bennaf gyfrifol am iddo orfod gadael y banc, mae'n debyg y byddai wedi mynd oddi yno beth bynnag, gan i'r rheolwr roi dewis go bendant iddo:

'It's either the motorbike or the bank.'

Hynny'n dilyn y ffaith iddo gael llawer o ddamweiniau yn y cyfnod hwnnw a cholli dipyn o ddyddiau gwaith o ganlyniad i'w ddiffyg meistrolaeth ar y beic. Dysgodd drin y beic yn iawn, ond gadawodd y banc am byth.

Hyd yn oed ar y cychwyn, yr oedd Robin wedi meistroli'r grefft o ddod allan o godwm heb frifo'n ddrwg. Deuai allan o'r damweiniau drwy adael i'r beic fynd yn syth pan fyddai'n colli gafael ar y ffordd, ac yna rowlio ei hun yn bêl a phowlio fel olwyn wedi iddo gael ei daflu oddi ar y beic.

Pryderai ei deulu'n arw am fod Robin wedi mentro i fyd rasio, ac yn gyrru gyda'r motobeic. Fe fyddai'r blynyddoedd nesaf yn flynyddoedd o bryder i aelodau ei deulu, yn enwedig i'w fam, a boenai lawer amdano. Ofnai ei weld yn rasio, ofnai iddo gael damwain a chael ei ladd. Gwyddai'r teulu mai gêm beryglus oedd hi, ac fe fyddai pawb yn falch o'i weld yn dod adref yn saff ar ôl pob ras. Er hynny, byddent yn gwrando'n astud pan fyddai rasys Ynys Manaw ar y radio, i gael clywed ei hynt.

Roedd llawer o bobl eraill ym Mhenllyn a oedd yn anghytuno â'r rasio a gyrru motobeics, yn enwedig y mamau. Cafodd ambell i fachgen ifanc gerydd gan ei fam gyda'r geiriau:

'Rwyt ti'n mynd yn rhy debyg i Robin Jac.'

Fo oedd yr arwr, a fo oedd y dylanwad mawr ar genhedlaeth o fechgyn Penllyn; o ganlyniad fe baentiwyd sawl helmed gyda'r Ddraig Goch a'r Triban, yn dilyn ei esiampl ef.

Teithio Gyda Robin

Gellid llenwi cyfrol gyfan, bron, ag atgofion gwahanol bobl am y profiad o deithio gyda Robin, un ai ar gefn y beic neu mewn car, maent mor niferus. Dywed pob un ohonynt yr un peth yn y bôn, sef bod Robin yn yrrwr gwyllt ond yn reidar a gyrrwr car eithriadol o dda.

Cofiai'r diweddar Gwilym Rhys Roberts iddo fynd ar y piliwn y tu ôl i Robin, ar ffordd Dolgellau. Wrth ddod rownd tro ger Rhydymain, beth a welsant ond peiriant torri ŷd yn union o'u blaenau, a dannedd y peiriant yn wynebu tuag atynt. Er ei fod yn sicr fod y diwedd wedi dod, chroesodd hynny ddim o feddwl y gyrrwr, a newidiodd Robin hi i lawr — fe aeth trwy'r gêrs yn sydyn, a brecio nes fod Gwilym Rhys yn fflat yn erbyn ei gefn, ond llwyddwyd i stopio yn ddiogel ac yn ddianaf.

Dro arall, aeth Gwilym Rhys gyda Robin am dro o Lanuwchllyn i Fachynlleth, pellter o tua 34 milltir trwy Ddolgellau (cyn gwella'r ffyrdd). Beic rasio oedd gan Robin, ac yr oedd yn gyrru. Cychwynnwyd yn ôl am adref gyda Robin yn mynd hyd eithaf gallu'r beic. Dyma dei Robin yn codi dros ei ysgwydd ac yn dechrau taro Gwilym Rhys yn ei lygad ac ar ochr ei wyneb. Nid oedd am ollwng Robin er mwyn symud y tei, gan fod ganddo ormod o ofn cael codwm, felly bu'n symud ei ben yn ôl ac ymlaen i geisio gadael lle i'r tei i chwifio heibio'i ben. Cyrhaeddwyd Post Llanuwchllyn mewn pum munud ar hugain, ac yr oedd wyneb Gwilym Rhys yn ddu reit ar ôl cael ei chwipio gan y tei.

Adroddodd Gwyn Williams, Corwen stori am ei dad yn cael reid gan Robin:

Roedd fy nhad yn adnabod Robin Jac. Yn ystod y blynyddoedd cyn y Rhyfel, 1937 neu '38, mi brynodd fy nhad *Norton International* yn Lerpwl, ond roedd o'n feic amhwrpasol iawn i 'Nhad, yr oedd 'Nhad eisiau un efo seidcar gan fod ganddo deulu. Aeth â'r beic i Lanuwchllyn gan feddwl ei ffeirio efo beic arall gan Robin Jac. Aeth yno ar fore Sadwrn ac roedd Robin yn dal yn ei wely. Cyn bo hir, daeth Robin i ffenest y llofft ac yno y bu'n siarad. Ond cyn gynted ag y sylweddolodd mai *Norton International* oedd gan 'Nhad, roedd o allan o'r tŷ 'mhen chwinciad, wedi gwneud bargen â 'Nhad, yn prynu *Matchless 600* yn ei le. Roedd Robin eisiau'r *Norton* y bore hwnnw — roedd ganddo gwsmer i'r beic yn y Bermo.

Dywedodd 'Nhad nad oedd yn barod i gymryd y llall ar yr adeg hynny, ac felly, doedd ganddo ddim ffordd i fynd adref.

'O, a' i â thi adref,' meddai Robin, a dyna 'Nhad yn mynd ar y tu ôl iddo ar y *Norton*. Aeth ag ef adref trwy Frongoch fel fflamia! Roedd o'n gyrru'n ofnadwy ac mi fu fy nhad yn sôn am y reid honno am hir wedyn. Roeddynt yn mynd rownd rhyw gornel yn rhywle, a beth oedd o'u blaen ond trol a cheffyl gyda llwyth o wair. Meddyliai 'Nhad yn siŵr y buasai'n mynd i du ôl y drol. Ond roedd Robin wedi brecio, newid i lawr a mynd rownd y drol heb drwbwl o gwbl.

Cofia Evan Roberts iddo ddod at y Post yn Llanuwchllyn un noson, noson Cyfarfod Cynllwyd, yn digwydd bod. Roedd Robin ar gefn un o'i feics rasio, a gan nad oedd lampau arno, doedd dim rasys yn y tywyllwch — dwy lamp fatri, dwy lamp beic oedd ganddo, un ar y blaen wedi ei chlymu gyda chortyn, a'r llall wedi ei chlymu ar y cefn. Wrth gwrs, golau gwan sydd gan lamp beic.

'Tyrd am dro i Gynllwyd, wa,' meddai Robin. Eisteddodd Evan Roberts ar y cefn:-

'O'n i prin wedi eistedd ar y beic, i ffwrdd â fo, ac yn gyrru. Welais i fawr o ddim, ond golau un neu ddwy o'r ffermydd wrth eu pasio, roedd o'n gyrru'n ofnadwy ar y beic a'r golau'n wan a'r ffordd yn gul.'

Cofia Meirion Roberts fynd gyda Robin ar gefn *Excelsior* ar y gwastad ger Cerrigydrudion.

'O'n i'n meddwl 'mod i'n mynd yn sâl, roedd bob man wedi mynd yn ddu. Ond yr hyn oedd wedi digwydd, gan fod Robin yn mynd mor gyflym oedd bod y gwybed wedi hel ar y gogyls,'

Mae Iori Roberts yn cofio mynd i wylio Robin yn ymarfer rhwng y Bala a'r Frongoch. Yr adeg hynny, cul oedd y ffordd a'r hen bont garreg oedd yn cario'r ffordd; nid oedd wedi ei sythu fel y mae hi heddiw, ac roedd dau dro ar y bont, ar siap S. Gwyliai rhai o'r hogiau lleol y ffordd er mwyn dweud wrtho a oedd ceir yn dod.

'Sgen ti awydd dod am sbin, Gelli?' meddai Robin wrtho. 'Iawn,' atebodd yntau. Yr oedd wrth ei fodd cael y cyfle. Dyma fo'n eistedd y tu ôl i Robin, a chyn cychwyn i gyfeiriad y Bala dyma Robin yn troi ato ac yn dweud:

'Weli, mae eisiau i ti gofio un peth, 'na sgin ti ddim meddwl, dim ond fy meddwl i. Paid ti â gwneud be ti'n feddwl, 'mond be dwi'n feddwl.'

Roedd o'n fater o fywyd; gallai symudiad anghywir o'r cefn ar y cyflymdra y teithiai Robin arno beri i'r beic syrthio. Cychwynnodd am y Bala a throi yn ôl. Dyma'r hanes wedyn:

> Anghofia i byth mo hynny, oedd o'n gwneud rhyw 120 m.y.a am y bont, a'r ffordd yn codi run fath â tâp i mi, oedd o'n mynd ar y ffasiwn sbîd.
>
> Oedd o'n gwneud peth arall efo'r beic, gollwng y beic i lawr, fwy o *bressure* ar y teiars. Oedd o eisiau mynd rownd y bont 'ma, cyn agosed i'r wal ag y gallai o fynd. Mynd wedyn, a throi yn ôl cyn cyrraedd Frongoch, yna nôl a mlaen rhyw dair gwaith neu bedair. Anghofia i byth mohono fo. Ond roedd o'n andros o reidar da; neb i'w gyffwrdd o.

Un tro, prynwyd motobeic newydd gan ffermwr yn Llanuwchllyn. Motobeic newydd sbon, *A.J.S. 350*. Dangosai'r beic wrth y Post, ganol dydd, ar ddiwrnod gwlyb yn yr haf. Cyrhaeddodd Robin yn ei gar a gweld y motobeic newydd, yn lân ac yn sgleinio:

'Ta mi 'thrio hi i Beniel, wa.'

'Paid ti â gyrru'r diawl,' oedd yr ateb.

Wnaeth Robin ddim gyrru drwy'r pentref, ond wedi troi yn y Tyrpeg a chael y ffordd fawr, dyna'i sŵn hi'n rhwygo mynd. Cyrhaeddodd yn ei ôl ar ôl ychydig o amser, a'r ddwy ecsôst yn las.

'*No good*, wa, *no good* wa, eti ffeif fflat owt,' meddai Robin gan adael y llall a'i geg yn llydan agored.

Dro arall, a Robin yn ei ddillad gorau, daeth rhywun ato eisiau prynu beic. Aeth Robin i nôl un a oedd ar werth.

'O mi a i â fo at y Lôn iti gael clywed ei sŵn o.'

Digwyddai gŵr a gwraig ddod mewn car o Gaergai, a hithau'n llwyd-dywyll. Pan oedd Robin yn pasio ceg ffordd Caergai, fe ddychrynodd y wraig gymaint nes iddi lewygu yn y car.

Aeth Norman Griffiths gydag ef i Langollen mewn car un tro. Wrth ddod adref, rhwng Cynwyd a Llandrillo, roedd yna rywbeth ar draws y ffordd, a doedd brêcs y car ddim yn gweithio'n iawn. Ond chynhyrfodd Robin ddim ac aeth heibio'n ddiddrafferth.

Ond fe fyddai Robin yn ei chael hi weithiau. Un tro, yr oedd Robin ac Ifor Owen wedi mynd yng nghar Gwilym Rhys i Ddolgellau. *Riley* top meddal, gyda'r top i lawr oedd y car. Eisteddai Ifor Owen wrth ochr y gyrrwr. Eisteddai Robin ynghanol y set gefn, gyda'i ddwylo ym mhoced ei drowsus a'i lygaid wedi cau, yn chwibanu'n braf. Daeth bws i'w cyfarfod, a dyma Gwilym Rhys yn brecio'n sydyn. Y peth nesaf a welodd y ddau yn y tu blaen oedd Robin yn dod rhyngddynt ac ar ei drwyn i lawr at y brêcs. Dychrynodd braidd, ond ni chafodd anaf.

Damwain Llanycil

Yn ystod y tridegau, cafodd Robin ddamwain ger Llanycil, y tu allan i'r Bala, ond yn ffodus, ni chafodd niwed o ganlyniad i'w anffawd. Cefais amryw o straeon ynglŷn â'r ddamwain hon, ac y mae cryn amrywiaeth rhyngddynt.

Daeth Robin o gwmpas tro yn Llanycil un diwrnod ac yntau'n gyrru fel arfer. Yr oedd lorri'r cyngor ar draws y ffordd a'i chefn i fyny, wrthi'n gwagio llwyth o bridd. Yn ôl rhai, *Cotton 250* oedd y beic, ond clywais hefyd mai *Velocette* oedd o. Beth bynnag, chafodd o ddim siawns i frecio ac aeth Robin a'r beic o dan y lorri, ond yr oedd wedi gollwng y beic ac aeth hwnnw ymlaen i fyny'r ffordd. Yn ôl rhai, aeth Robin dros y ffens, a bachodd y weiren bigog yn ei ledrau nes ei fod o'n hongian dros y llyn a oedd oddi tano. Yno yr oedd o, yn gweiddi ar weithwyr y cyngor:

'Tynnwch fi o'r ffens 'ma'r diawliaid.'

Fedrai neb symud am ychydig — yr oedd pawb wedi cael cymaint o fraw. Ond wedyn, ymhen ychydig eiliadau, codwyd Robin yn ôl.

'Duw, blydi *hard lines* wa, ond 'di'r beic yn dal i fynd?' meddai, ac i ffwrdd ag o i nôl y beic, neidio ar ei gefn ac i ffwrdd ag ef am adref.

Ni fu mor lwcus rai blynyddoedd yn ddiweddarach, a hynny heb fod ymhell iawn o Lanycil. Ond mwy am hynny eto.

'Two score miles to scare 'em all'

Yn rhyfedd iawn, yr unig linell o gynghanedd o waith Robin sy'n ymwneud â rasio motobeics yw '*Two score miles to scare 'em all*', un o'r ychydig rai yn Saesneg ganddo. Eto, mae'r nodiadau a wnaeth yn ei lyfr sgrap i gyd yn Saesneg, fel petai yn mynd i fyd hollol wahanol i weddill ei fywyd. Ond yr oedd yn wahanol, wrth gwrs.

Yr ydym i gyd yn gyfarwydd ag Ynys Manaw neu'r Eil o Man lle chwythwyd y badell ffrio honno. Yr ydym hefyd yn gyfarwydd â'r cathod heb gynffon, y penwaig cochion a'r arwydd tair coes. Ond, mae Ynys Manaw wrth gwrs, i lawer, yn gyfystyr â dwy lythyren — *T.T.*

Oni bai am ambell drip diwrnod o Landudno (pan fyddai'r cwch yn hwylio o'r fan honno hyd at ddechrau'r wythdegau) ychydig iawn o Gymry sydd wedi teithio i'r Ynys, heblaw am ddwy wythnos arbennig yn ystod y flwyddyn pan fydd cannoedd ohonynt yn tyrru yno i weld y rasys motobeics.

Er ei bod yn rhan o'r Deyrnas Gyfunol, mae Ynys Manaw yn wahanol iawn i'r gwledydd Celtaidd eraill sydd o dan reolaeth Llundain. Mae gan yr Ynys ei Senedd ei hun — yr *House of Keys* sy'n rheoli materion mewnol yr Ynys, gan adael materion fel amddiffyn a chysylltiadau tramor yn nwylo senedd Lloegr.

Nid yw'n Ynys fawr iawn, rhyw dair milltir ar ddeg ar draws yn y man lletaf a rhyw ddeugain milltir o un pen i'r llall. Mae'r cwrs

T.T. yn 37.7 milltir ac yn cwmpasu tua hanner yr Ynys. Erys yn dipyn o daith, o Gymru'n enwedig, — rhyw bedair awr gyda chwch o Lerpwl, a rhyw dair awr o fannau eraill yn Lloegr, yr Alban ac Iwerddon, er bod gwasanaeth awyren *Manx Airlines* yn eich cludo chi yno mewn rhyw hanner awr o Lerpwl.

Yn ôl chwedl werin Geltaidd, roedd cawr mawr yn byw yn Iwerddon o'r enw Finn McCool. Fe daflodd dywarchen i'r môr ac fe ffurfiodd y dywarchen yr hyn a elwir heddiw yn Ynys Manaw. Mae hen hanes yr Ynys yn gyfuniad o hanes y Celtiaid a'r Llychlynwyr, yn ddylanwad cryf iawn ar yr Ynys hyd heddiw. Ceir llawer o hen enwau a ddaeth gyda'r Llychlynwyr, ond yn naturiol, a hithau'n un o'r chwe gwlad Geltaidd, yr enwau Celtaidd sy'n fwyaf amlwg. Mae'r Fanaweg yn iaith sy'n perthyn yn agos i'r Wyddeleg a'r Aeleg, ac er i'r brodor diwethaf a oedd yn siarad yr iaith o'r crud i'r bedd farw yn ystod yr ugain mlynedd diwethaf, mae ymdrechion ar waith i'w hadfer unwaith eto.

Ym Medi 1992, fe'i dysgwyd mewn ysgolion am y tro cyntaf ac mae amryw o deuluoedd yn dechrau magu eu plant trwy gyfrwng y Fanaweg ar yr aelwyd gartref. Yn amgueddfa werin Cregneash, sy'n debyg i Sain Ffagan ond ar raddfa lai o lawer, mae nifer o'r gweithwyr wedi penderfynu dysgu'r Fanaweg a'i defnyddio wrth eu gwaith, felly mae'n bosibl clywed yr iaith yn cael ei siarad. Dewiswyd y pentref hwn fel lleoliad yr amgueddfa gan mai hwn oedd y pentref olaf lle y siaradwyd y Fanaweg yn naturiol fel iaith bob dydd. Fel y daw'r tai yn wag, mae'r amgueddfa'n eu prynu a'u haddasu, er mai ar raddfa fechan mae hyn yn digwydd hyd yma. O gwmpas yr Ynys gwelir llawer o arwyddion, rhai ohonynt yn ddiweddar iawn, sy'n dangos yr iaith i'r ymwelwyr.

Cawn ein hatgoffa mai Ynys Geltaidd yw Manaw gan enwau rhai o'r llefydd ar y cwrs rasio hefyd, gan fod y cwrs yn defnyddio ffyrdd cyffredin yr Ynys — enwau fel Creg-ny-Baa, Cronk-y-Voddy, Cronk-ny-Mona, Barregarow, a phontydd fel Ballig (lle yr honnir i Robin neidio yn bellach nag unrhyw reidar arall ar gefn beic — dros 40 troedfedd yn yr awyr, ond erbyn heddiw mae'r bont wedi ei gwastatáu, a'r record i sefyll am byth yn ôl pob tebyg) a phont Ballaugh, sy'n debyg i Bala mewn sŵn ac ystyr.

Y ddau gyfnod prysuraf ar yr Ynys yw wythnos gyntaf mis Mehefin, sef wythnos rasys y *T.T.* a'r wythnos gyntaf ym mis Medi, sef wythnos y *Manx Grand Prix*. I raddau helaeth mae economi'r Ynys yn dibynnu ar y ddwy wythnos yma, yn enwedig y gwestai a'r tai bwyta, gan y bydd degau o filoedd yn tyrru yno o bob cwr o'r byd.

Cynhelir gwyliau eraill o bwys ym myd chwaraeon ar yr Ynys, ond y ddwy wythnos bwysig yma sydd wedi ei dwyn i enwogrwydd wrth gwrs.

Rasys ar gyfer amaturiaid yw'r *Manx Grand Prix*, ond reidars proffesiynol, a'r goreuon yn y byd sy'n reidio yn y *T.T.* (neu'r *Tourist Trophy* i roi ei henw llawn i'r ras). Ystyrir y *Manx* fel rasys i weld pa reidars sy'n ddigon da i fynd ymlaen i droi'n broffesiynol, a chystadlu yn y *T.T.* Erbyn hynny, fe fyddant yn cael beic gan un o'r timau pwysig, neu'n cael eu noddi gan gwmnïau mawrion. Deil llawer o reidars da i 'fynd' yn y *Manx* gan nad ydynt yn dymuno gyrfa broffesiynol fel reidars rasys. Yn aml, maent mewn swyddi da neu'n ddigon bodlon ar eu byd beth bynnag.

Cynhaliwyd rasys y *T.T.* ers 1907, heblaw am gyfnod y ddau Ryfel Byd. Dyma rasys gorau'r byd, ac maent yn profi dyn a pheiriant i'r eithaf. Dywedir ei bod yn arferiad newid gêr dros 1,000 o weithiau cyn i'r cwrs gael ei newid ychydig, ond mae'n parhau i fod yn gwrs anodd i'w feistroli. Ceir trofeydd garw arno, wedyn rhaid dringo i'r mynydd, ac er mwyn llwyddo, mae angen gerbocs arbennig ar y beic, ac mae'n rhaid i'r reidar ddeall ei feic yn iawn yn ogystal ag adnabod y cwrs. Bydd llawer o'r reidars yn cerdded rhannau o'r cwrs er mwyn dod i adnabod y corneli a chanfod pa linell i'w chymryd — mae hynny'n bwysig dros ben. Cul iawn yw llinell reidar ar y ffordd, fe all colli eiliad olygu colli ras, a chan mai prawf yn erbyn y cloc yw pob un ras yn bennaf, gallwch werthfawrogi hyn wrth sylweddoli pa mor aml y ceir ond eiliad neu ddau rhwng reidars ar ddiwedd y ras.

Gan fod y ffyrdd yn weddol gul, y dull arferol o gychwyn ras yw gollwng y beiciau fesul dau. Ar rai adegau yn y gorffennol, fe gafwyd rasys lle roedd pob beic yn cychwyn gyda'i gilydd — yng ngeiriau beicwyr — y '*massed start*'. Mantais arall cychwyn fesul pâr yw fod beics ar y cwrs drwy'r amser, felly mae'n fwy diddorol i'r gwylwyr, ac fe fydd cystadleuaeth rhwng bob pâr, yn ogystal â phan fyddant yn dal y rhai o'u blaenau, neu'n cael eu dal eu hunain.

Fel arfer, cant yw'r nifer fwyaf a ganiateir mewn un ras, ond ar adegau roedd mwy, pan gafwyd rasys *Junior* a *Lightweight* yn cael eu cynnal gyda'i gilydd, gyda'r *Juniors* yn mynd yn gyntaf, wedyn y *Lightweights*.

Dosberthir y rasys yn ôl maint y motobeics. Dyma'r dosbarthiadau traddodiadol yn y *T.T.* a'r *Manx*:

Senior 500 c.c. (maint yr injan, wrth gwrs)
Junior 350 c.c.
Lighweight 250 c.c.

Erbyn heddiw, ceir dosbarthiadau ychwanegol gan fod gwelliant aruthrol wedi digwydd ym mherfformiadau'r beics, ac o gofio bod beics ag injan llai yn gallu mynd cystal â'r hen feics mawr. Daeth meintiau eraill o feic yn boblogaidd hefyd, fel y *400 c.c.* Rheswm arall dros newid y categorïau oedd er mwyn cael mwy o rasys i mewn i'r wythnos.

Mae wythnos y *Manx* wedi aros yn weddol debyg ers rhai blynyddoedd. Dyma'r rhaglen yn 1993:

Awst 21 — Awst 28

Sesiynau ymarfer, yn amrywio'n ddyddiol er mwyn cau y cwrs i deithwyr eraill, ond ei gau ar wahanol adegau bob dydd i osgoi anghyfleustra.

Wythnos y rasys — Awst 30 - Medi 4ydd

Dydd Llun, Awst 30ain —	Rasys i'r Reidars Newydd 10.00 a.m.
	Senior Classic 1.00 p.m.
Dydd Mercher, Medi 1af —	Rasys *Junior/Lightweight Classic* 10.00 a.m.
	Junior M.G.P. 1.00 p.m.
Dydd Gwener, Medi 3ydd —	*Lightweight* M.G.P. 10.00 a.m.
	Senior M.G.P. 1.00 p.m.

Yn ystod yr wythnos cynhelir pob math o ddigwyddiadau'n gysylltiedig â'r rasys. Ar y nos Fercher a'r nos Wener cynhelir y Cyfarfod Gwobrwyo swyddogol yn y Villa Marina yn Douglas.

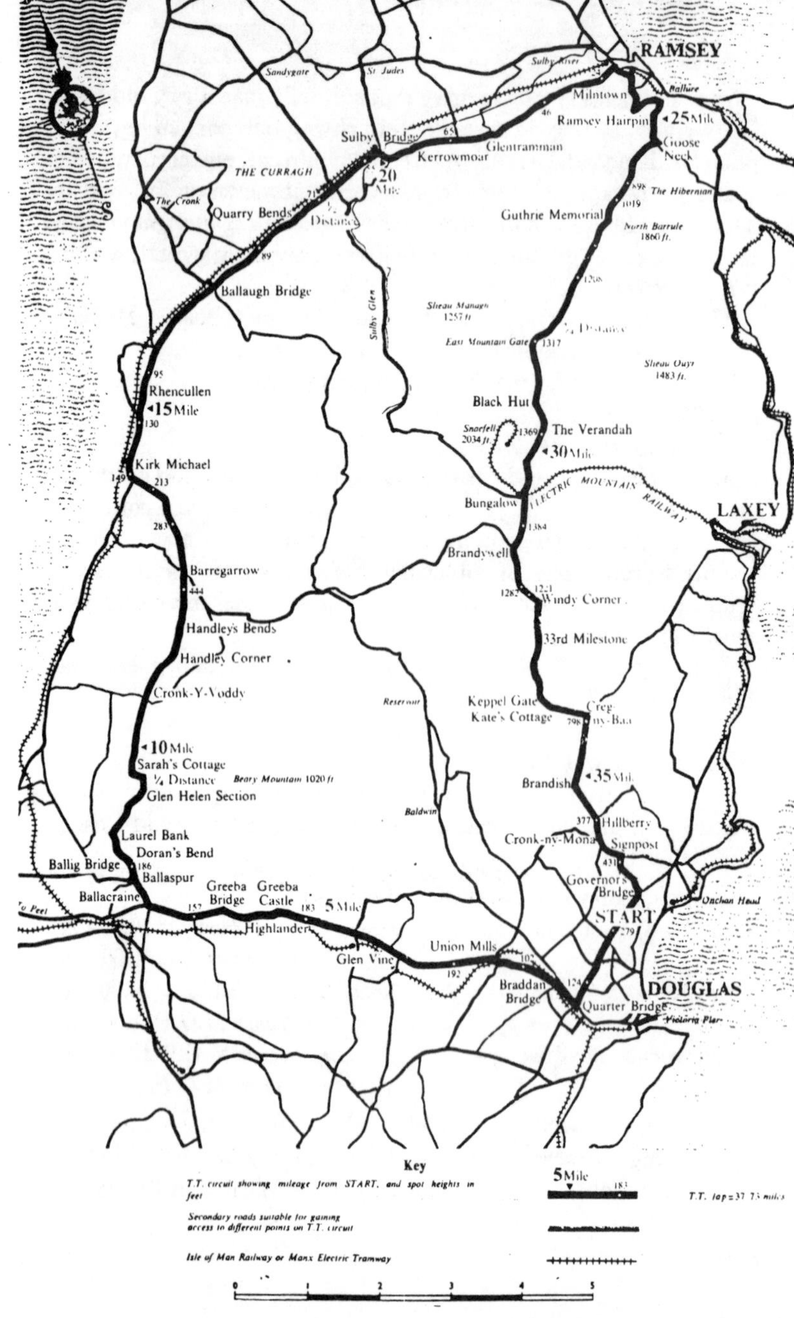

RAMSEY
Sandygate
St Judes
Sulby River
Milntown
Ramsey Hairpin
25 Mile
Goose Neck
Sulby Bridge
Glentramman
Kerrowmoar
THE CURRAGH
20 Mile
The Hibernian
The Cronk
Quarry Bends
½ Distance
Guthrie Memorial
North Barrule 1860 ft.
Ballaugh Bridge
Sulby Glen
Sheau Managh 1257 ft
East Mountain Gate
Sheau Ouyr 1483 ft.
Rhencullen
15 Mile
Black Hut
Snaefell 2034 ft.
The Verandah
30 Mile
Kirk Michael
ELECTRIC MOUNTAIN RAILWAY
Bungalow
LAXEY
Brandywell
Barregarrow
Windy Corner
Handley's Bends
33rd Milestone
Handley Corner
Cronk-Y-Voddy
Reservoir
Keppel Gate
Kate's Cottage
Creg-ny-Baa
10 Mile
Sarah's Cottage
¼ Distance
Beary Mountain 1020 ft
Glen Helen Section
Brandish
35 Mile
Baldwin
Hillberry
Laurel Bank
Doran's Bend
Cronk-ny-Mona
Signpost
Ballig Bridge
Ballaspur
Governors Bridge
Ballacraine
Greeba Bridge
Greeba Castle
5 Mile
Onchan Head
To Peel
START
Highlander
Union Mills
Glen Vine
Braddan Bridge
DOUGLAS
Quarter Bridge
Victoria Pier
Key
T.T. circuit showing mileage from START, and spot heights in feet
Secondary roads suitable for gaining access to different points on T.T. circuit
Isle of Man Railway or Manx Electric Tramway
T.T. lap = 37.73 miles
0
1
2
3
4
5

Dyma i bob pwrpas yw'r drefn flynyddol yn y *Manx*; mae'r *T.T.* yn cynnwys dosbarthiadau ychwanegol.

Yn amser Robin, byddai'r reidars yn cymryd tua hanner awr i gwblhau'r cwrs, ond erbyn heddiw mae'r amseroedd yn llai gan fod y motobeics yn well ac yn haws eu trin. Hefyd, wedi i'r cwrs gael ei newid — torri corneli, gwella ansawdd y ffordd ac yn y blaen — mae'n haws mynd yn gynt o'i gwmpas.

Yn draddodiadol, ceir y rhif 101 os oes cant yn y ras. Oherwydd yr ofergoeledd ynglŷn â'r rhif 13, nid yw'r reidars yn fodlon temtio ffawd trwy ei wisgo.

Ar un adeg, byddai cannoedd o Gymry'n croesi'r môr i weld y rasys motobeics ar Ynys Manaw. Deil wythnos y *T.T.* ac wythnos y *Manx* yn boblogaidd iawn eto, ond nid i'r un graddau ag y bu cyn, nac ar ôl y Rhyfel, yn enwedig ymysg pobl Penllyn yn ystod y cyfnod pan fu Robin yn cystadlu.

Croesi o Lerpwl yw'r arfer o hyd, er bod ambell un yn hedfan yno erbyn hyn. Gwn fod Wil Sam wedi gwneud hynny yn ddiweddar — hedfan yn ôl a mlaen am y diwrnod o Ynys Môn.

Arferai llawer iawn o Gymry fynd gyda'i gilydd, nifer fawr o ardaloedd fel Penllyn ac Eifionydd. Yn ôl Jac Lloyd, yr oedd y diddordeb wedi ei feithrin ym Mhenllyn gan T. R. Jones, a oedd yn fwy adnabyddus fel Bertie Cyffdy, o'r Parc, gan fod hwnnw wedi bod yn rasio ar Ynys Manaw yn y dauddegau. Pan ddechreuodd Robin rasio yno, dim ond dilyn yn yr olyniaeth yr oedd, a phan ddaeth yn reidar llwyddiannus, deuai mwy a mwy o Benllyn i'w wylio ac i'w eilunaddoli, bron.

Yn ôl Norman Griffiths sy'n byw yn y Bala (ond yn wreiddiol o Landderfel):

> Roedd 'na ddiddordeb garw mewn motobeics yn ardal Penllyn erstalwm. Dwi'n cofio yn ardal Llandderfel ar ôl y Rhyfel, roedd 'na tua wyth ar hugain o fotobeics, a giang ohonom o'r ardal wastad yn mynd i'r Eil o Man, digon i lenwi bys i fynd rownd y cwrs, yn griw o'r Bala, Llandderfel a Llanuwchllyn.
>
> Dwi'n cofio aros efo Robin un tro, mi fyddai o yn aros bob

amser efo hen reidar o'r enw Dusty Miller yn Douglas. Roedd perchennog cwmni *Gordon Tools* yn aros yno hefyd; hwnnw'n reidio yn y rasys, a'i fecanic, ac mi ddaeth Robin yn dipyn o ffrindiau efo'r dyn ac yn cael *tool* newydd ganddo bob tro. Ond mi fyddai Robin yn lapio'n gynt ar 250 nag yr oedd y dyn yma ar 350.

Ar y dydd Sul cyn y rasys, fe fydd y ffyrdd yn agored i bawb eu tramwyo. Hwn yw'r *mad Sunday* enwog, ac fe fydd miloedd yn mynd o gwmpas y cwrs, rhai yn rasio ei gilydd gyda motobeics. Gall hyn fod yn anghyfrifol o beryglus ar adegau, ac aml i dro bu damweiniau angeuol o ganlyniad i hyn dros y blynyddoedd. Lladdwyd nifer ar y Sul cyn y *T.T.*, yn 1993, er enghraifft. Mae hyn yn tueddu i roi enw drwg i gwrs yr Ynys, a chaiff llawer o bobl yr argraff mai wrth rasio y lleddir hwy ac nid wrth chwarae'n wirion.

Mae Norman Griffiths yn cofio mynd o gwmpas y cwrs yng nghwmni Robin:

> Dwi'n cofio Robin yn mynd â ni mewn car a dangos y gwahanol lefydd a'r troadau. Byddai'n stopio yma ac acw ar y ffordd, dwi'n ei gofio'n dangos y giat yr aeth Bertie Cyffdy drwyddi wrth fethu cornel un waith.
>
> Dro arall, byddem yn codi am bump o'r gloch y bore i wylio Robin yn practeisio ar y mynydd. Un bore, a ninnau'n aros amdano, ni ddaeth i'r golwg; er mawr siom, roedd y tsiaen wedi torri ganddo.
>
> Mi fues i'n mynd i Ynys Manaw am un mlynedd ar bymtheg heb fethu unwaith, a hynny ddwy waith y flwyddyn — i'r *T.T.* ac wedyn i'r *Manx*. Dwi'n cofio ni wedi llogi tacsi un tro, a'r dreifar yn dod i'n nôl bob dydd er mwyn mynd â ni i weld y rasys, ond fel arfer roedd yn rhaid inni gerdded milltiroedd lawer gan y byddai'r ffyrdd wedi cael eu cau i drafnidiaeth, er mwyn rhoi rhwydd hynt i'r reidars yn y ras.
>
> Byddai Robin yn dod a'i enwair gydag ef i Ynys Manaw bob amser, ac yn mynd i bysgota rhwng y rasys.

Gan fod Robin yn rasio heb gefnogaeth cwmni mawr a'i holl adnoddau, byddai'n rhaid iddo ddibynnu ar gymorth ei ffrindiau a'i gefnogwyr yn ystod ras. Mae'n anodd credu erbyn heddiw, a ninnau ym myd y cyfrifiadur a'r cyfathrebu effeithiol, fod llawer o'r cefnogwyr wedi eu gosod i roi arwyddion i'w gynorthwyo, gan nad oedd mewn cysylltiad radio â neb. Byddai pawb yn barod iawn â'u cymorth. Aberthodd un gŵr ei fis mêl hyd yn oed i'w helpu. Arferai'r diweddar Ifan William Jones fod yn 'ddyn y *pits*' i Robin. Fo fyddai'n ei helpu yn ystod pob arhosiad yn y *pits* am betrol ac unrhyw beth arall. Bu'n ei helpu lawer gwaith, ac yn 1938 aeth yno gyda'i wraig ar eu mis mêl — a'i gadael er mwyn mynd i helpu Robin yn y *pits*!

Credir ei fod o dan gryn anfantais o'i gymharu â'r reidars eraill oedd ag adnoddau ariannol yn gefn iddynt, ond yr oedd Norman Griffiths ac eraill yn barod i roi eu cymorth am ddim iddo:

> Mi fu criw ohonom yn marcio iddo mewn lle o'r enw Barregarow. Roedd allt yn dod i lawr ac wedyn gwastad go lew. Roedd yna rai yng ngwaelod yr allt efo *binoculars* yn gwatsio, achos oedd hi'n *massed start*, wedyn y cyntaf rownd oedd ar y blaen. Roedd ganddom ni gardiau mawr wedi eu gwneud, a'r lleill — y gweddill ohonom ni, ym mhen draw y gwastad. Y drefn oedd hyn: y rhai efo'r *binoculars* i weld pwy oedd y cyntaf i ddod i lawr yr allt, ac wedyn pan ddeuai Robin, byddent yn codi cadach poced gwyn, a ninnau'n barod efo'r cardiau, gan gyfri faint oedd wedi pasio. Os oedd Robin yn ail, neu yn bedwerydd neu mewn unrhyw safle arall, yna gosod cerdyn gyda'r rhif pwrpasol yn y gwrych, fel ei fod yn amlwg iawn er mwyn i Robin gael gwybod lle roedd o'n sefyll yn y ras. Cafwyd llawer iawn o hwyl, gan fynd i banic weithiau wrth geisio cael hyd i'r cerdyn gyda'r rhif cywir arno.

Mae'n hawdd iawn dychmygu'r wefr a gafodd y cefnogwyr o Benllyn (a rhannau eraill o Gymru) wrth weld y lledrau coch, y Ddraig a'r Triban yn gwibio heibio, ac wedyn wrth weld Robin yn mynd i fyny ar y llwyfan o flaen y miloedd yn y Villa Marina i dderbyn ei dlws, a'r dyrfa'n cael eu syfrdanu wrth i'r criw o Gymry a oedd yno godi i ganu 'Hen Wlad Fy Nhadau'.

Fe gofia Jac Lloyd yntau, fynd i'r mynydd i roi arwyddion i Robin:

> Mi oedd Robin eisiau imi fynd i roi *signals* iddo wrth dro Brandywell. Roedd o wedi gwneud ei syms y flwyddyn honno. Gan fod y *Junior* a'r *Lightweight* yn cael eu rhedeg fel un ras, gyda'r *Juniors* yn cychwyn gyntaf, roedd hi'n gymhleth. Ond fel y dywedais roedd Robin wedi gwneud ei syms, roedd y *Nortons* yn cychwyn o'i flaen o, fesul dau — rhyw gant i gyd, ac yntau'n cychwyn ar eu holau nhw efo'r *Lightweights* — rhyw hanner cant ohonyn nhw. Dywedodd Robin wrtha' i y byddai'r *Nortons* yn ei lapio:
>
> 'Mi fydd y cyntaf ohonyn nhw yn fy mhasio i ar yr ail lap.'
>
> Roedd o wedi gwneud ei syms yn dda, a dyna ddigwyddodd. Cafodd ei lapio, ac roedd yn rhaid i mi roi *signal* iddo. Roeddwn i yn dal cerdyn mawr i fyny i ddweud pa safle oedd o, os oedd yn ddeuddegfed, dal cerdyn gyda deuddeg arno, a hynny i fyny wrth y gornel. Erbyn yr ail lap, efallai y byddai wedi pasio un neu ddau ac yn ddegfed. Rhaid oedd cael hyd i'r cerdyn a rhif deg arno.
>
> Roedd Rhiannon, fy ngwraig, yn daer iawn imi beidio rhoi arwydd a fyddai'n gwneud iddo gyflymu — roedd hi'n ofni y byddai'n cael damwain.

Ond i'r rhai oedd gartref ym Mhenllyn, a heb allu gweld y ras, dibynnent ar wybodaeth o wahanol ffynonellau er mwyn cael yr hanes.

Pan oedd Ifor Owen yn y chweched dosbarth yn y Bala, byddai Garej Henblas yn rhoi *telegrams* ar y ffens y tu allan ac arnynt byddai manylion am y ras, pwy oedd ar y blaen neu bwy oedd wedi ennill. Rhedai Ifor Owen yno i weld a oedd Robin wedi ennill, neu wedi gorffen yn weddol agos.

Flynyddoedd yn ddiweddarach, byddai rhywun yn gwrando am fanylion ar y radio ac yn eu trosglwyddo i unrhyw un a oedd yn disgwyl am wybodaeth.

Yn ôl ar Ynys Manaw, pan na fyddai rasio ar ddiwrnod arbennig o'r wythnos, yna deuai amser i bysgota neu i weld dipyn o'r wlad. Adroddodd Meirion Roberts hanes un flwyddyn pan oedd tywydd gwlyb wedi golygu gohirio y *Senior T.T.* o ddydd Gwener i ddydd Sadwrn. O ganlyniad, roedd arian yn brin, a'r cyflenwad sigarets hollbwysig bron ar ddarfod. Beth wnaeth Robin ond mynd ag ef a'i ffrind i stondin mewn ffair, lle yr oedd planc o goedyn gyda rhesi o hoelion ar ei hyd. Y gamp oedd dyrnu hoelen i'r pren gan ddefnyddio dim ond dwy ergyd, ac am hynny gallech ennill ugain o sigaréts. Mae'n rhaid fod Robin wedi pwyso a mesur, ac wedi deall bod yr hoelion yn mynd i mewn yn hawdd iawn pe bai'n sefyll ar gês bach oedd ganddo. Yno y bu'r tri yn symud y cês o un i'r llall, ac ennill degau o sigaréts pan ddaeth dyn y stondin allan a gweld beth oedd yn digwydd, a bu'n rhaid i'r tri ei heglu hi oddi yno. Ond yr oedd ganddynt ddigon o sigaréts i'w cadw'n hapus tan y diwrnod wedyn!

Chwith — Will Griffiths (Y Bull, Bala gynt)
gyda Llew Post (tad Mary Lloyd Davies, Llanuwchllyn)
a Robin yn Ynys Manaw, 1935

Paratoi ar Gyfer Ynys Manaw

Gan fod cwrs Ynys Manaw mor wahanol i bob cwrs arall, mae angen paratoi'n drwyadl ar ei gyfer. Roedd rhaid i Robin, felly, ganfod pellter o ffordd a oedd yn cyfateb cyn agosed â phosibl i'r cwrs er mwyn ymarfer. Er bod cefn gwlad Meirion ymhell iawn o unrhyw drac rasio (Park Hall, Croesoswallt oedd yr un agosaf) nid oedd hynny'n anfantais, gan mai cwrs ar ffyrdd cyffredin oedd ei angen i ymarfer, gyda'r ffordd yn dringo i'r mynydd ar ran ohono. Ar gyfer hyn, ni ellid cael ffyrdd mwy delfrydol na rhai sir Feirionnydd.

Mae'r hanesion amdano'n ymarfer yn chwedlonol yn Llanuwchllyn. Ceisiai ddau fath o ymarfer, ymarfer dros gwrs hir, ac ymarfer byr er mwyn gyrru'n gyflym. Clywais lawer iawn o sôn am sŵn y motobeic yn dod heibio am bump o'r gloch y bore, ac roedd nifer yn cofio ei glywed yn rhuo mynd dros y Migneint, a hynny o Lanuwchllyn!

Yn ôl Robin ei hun, roedd y ffyrdd yn addas iawn gan fod digon o gorneli arnynt ac ychydig iawn o blismyn — hynny'n beth pwysig iawn!

Cofiai Dewi Bowen ef yn ymarfer ben bore, cyn i lawer o drafnidiaeth ddod ar y ffyrdd. Yn 1937, pan oedd yn was yn Llanymawddwy, gwelodd Robin wrthi'n ymarfer lawer gwaith:

'Fe fyddech yn gallu clywed ei sŵn o filltiroedd i ffwrdd. Byddai Robin yn dod dros Fwlch y Groes, a chan fod y ffordd heb ei thario yr adeg honno, fe godai llwch yn gymylau ar ei ôl, a gellid gweld y llwch am filltiroedd. Mi fyddwn yn rhedeg er mwyn cyrraedd y ffordd i'w weld ac fe fyddai Robin yn siŵr o stopio er mwyn cael sgwrs, cyn ailgychwyn ar ei daith am Ddinas Mawddwy.'

Yn ddiweddarch, pan yn was yn Hendre Mawr, byddai Dewi

Bowen yn gwneud dipyn gyda Robin ar fin nos, rhyw ffidlo efo car neu fotobeic, 'ac mi fydde hwnnw'n cael ei rasio nes y byddai'r sŵn dros y wlad i gyd!'

Y cwrs ymarfer a oedd yn cyfateb orau, yn ei dyb ef, i gwrs Ynys Manaw o ran corneli, gwastadau ac elltydd oedd hwn: Cychwyn o Lanuwchllyn (yn gynnar yn y bore) am y Bala. Wedyn troi am Frongoch a Chelyn (cyn boddi'r cwm wrth gwrs). Ymlaen am Lan Ffestiniog dros y Migneint ac wedyn troi am Drawsfynydd. I lawr i Ddolgellau ac yn ôl drwy Rydymain a thros y Garneddwen i Lanuwchllyn.

Y perygl mwyaf ar yr awr honno o'r bore oedd defaid yn crwydro ar y ffordd. Ar y cylch hwn, byddai cyfartaledd ei gyflymdra yn 72, 73 neu 74 milltir yr awr.

Âi drwy bentref Trawsfynydd (cyn i'r ffordd osgoi newydd gael ei hagor), ac yno roedd stryd gul iawn, gyda'r tai yn agos iawn o bobty'r ffordd (ger y Llew Gwyn). Gan fod y beic yn feic rasio, yr oedd rhuad go arw arno ac fe fyddai Robin yn ei 'hagor hi' i'r eithaf yn y fan honno nes y byddai'r stryd yn clecian, gan ddeffro pawb. Bu cryn ddamio a diawlio ar yr adegau hynny, gan nad pawb sy'n hoffi cael eu deffro am hanner awr wedi pump y bore!

O Ddolgellau yn achlysurol, fe âi i gyfeiriad y Cross Foxes ac i fyny'r allt i ben Bwlch yr Oerddrws, ar y ffordd i Ddinas Mawddwy. Darganfu mai yno ar Fwlch yr Oerddrws — ar yr allt yn arwain i ben y Bwlch — yr oedd y llecyn gorau un i setio'r carbiwretor ar gyfer cwrs mynyddig Ynys Manaw. Roedd uchder y tir, ansawdd yr aer a phob amod arall yn iawn, ac fe fyddai *setting* y carbiwretor yn iawn ar gyfer pen mynydd ym Manaw. Enillai fantais dros reidars eraill, rhai o Birmingham a rhannau eraill o Loegr. Byddai rheiny yn cael trafferth garw gyda charbiwretors eu beics. Rhaid oedd setio'r carbiwretor yn iawn; yr oedd hyn yn holl bwysig, oherwydd yn ôl geiriau Robin:

'Os na neith hi gymryd yn lân ar hyd y *range — no good*!'

Er mwyn amrywio'r daith, weithiau fe âi dros Fwlch y Groes — fel y tystia Dewi Bowen. Mae'n debyg ei fod yn gwneud hynny'n achlysurol er mwyn newid y ffordd. Un peth oedd ymgartrefu ar gwrs Ynys Manaw ac adnabod pob modfedd ohono, peth arall oedd bod yn gaeth i un ffordd ym Meirion, a rhaid oedd iddo gael amrywiaeth er mwyn arfer â phob math o dro posibl.

Y math arall o baratoi ar gyfer rasio oedd gyrru ar gyflymdra. Er y byddai'n gyrru'n weddol o gwmpas ei 'gwrs' nid oedd ganddo'r sicrwydd o ffordd glir — gallai rywbeth fod ar y ffordd o gwmpas y tro nesaf. Felly, byddai'n rhaid canfod darn gwastad o ffordd er mwyn ei 'hagor hi allan' i'r eithaf.

Dau le a'i denai i wneud hynny. Un lle delfrydol oedd darn o'r A5 rhwng Glasfryn a Cherrigydrudion. Roedd honno'n ffordd syth, hyd yn oed yr adeg honno.

Darn arall o ffordd syth oedd y ffordd o'r Cross Foxes drwy Gwm Hafod Oer (yn arwain at Fwlch Tal y Llyn). Un tro aeth yno i ymarfer, gan agor allan ar y gwastad. Yn anffodus, er ei bod hi ond yn bump o'r gloch y bore, roedd ffermwr wrthi'n hel defaid. Pan gyrhaeddodd Robin ben draw'r gwastad a dod rownd y gornel, daeth yn syth i gyfarfod â'r defaid. Oherwydd ei allu fel reidar, llwyddodd i arafu, newid i lawr, troi yn ôl ac ailgychwyn ymarfer ar y gwastad heb gyffwrdd â'r un ddafad. Roedd ei allu i drin beic yn anhygoel — roedd fel petai'n ddarn o'r beic. Does ryfedd i rai pobl ar Ynys Manaw gyfeirio ato fel y '*daredevil from Wales*'.

Yr hanesion difyrraf am ei ymarferiadau yw'r rhai am ardal Llanuwchllyn. Er bod y ffyrdd yn droellog, gallai ddefnyddio bechgyn y pentref, a'u gosod ar y troeadau i'w rybuddio os oedd y ffordd yn glir ai peidio.

Cofiai Dei Edwards fod yr ymarferion hyn yn digwydd fin nos, fel arfer, wedi i Robin fod o gwmpas y cylch ben bore. Gosodai'r hogiau yma ac acw ar hyd y ffordd:

> Fy lle i oedd y pella, ar dop y rhiw wrth y ffatri laeth (ger Rhydymain), rhyw ddwy filltir o Beniel. Byddai car yn mynd â ni i fyny i'n gollwng yma ac acw. Y car wedyn yn dod â phob un yn ôl ond gan mai fi oedd y pella, mi ro'n i'n cael mynd ar y beic y tu ôl i Robin. Os oedd pobl Rhydymain yn teimlo cawod o law, y dŵr yn mynd o'm llygaid i oedd o. Y gorau weles i, oedd mynd i lawr y Garneddwen yn gwneud cant a phedair milltir yr awr, roedd hynny'n lot 'radeg honno.

Dwi'n cofio Robin yn agor y giât ger y ffordd ac yn dweud wrthyf am fynd â'r beic i fyny i'r Hendre. Welais i ddim byd anoddach i'w handlo erioed.

Dyma fi'n dweud wrtho wedyn: 'Hen bitsh i'w handlo, Robin.'

'Ia,' meddai, 'ond pan ti'n mynd dros 60 rwyt ti fel petaet ti yn dy wely.'

Robin yn dod heibio'r felin yn Llanuwchllyn yn y tridegau

Cofiai Alon Morris gael ei osod, ymysg criw arall, ar bob cornel o Bant Gwyn i'r Tyrpeg ac at y Lôn, a dyma Robin yn dod i lawr, 'fflat owt' nes yr oedd yn mynd â gwynt rhywun wrth iddo basio.

Heblaw am gael y cyfle i yrru'n gyflym yr oedd hyn hefyd yn ei alluogi i gymryd y corneli'n gyflym ac yn ei linell gywir, fel y buasai'n eu cymryd ar Ynys Manaw.

Cafodd ambell ddamwain wrth ymarfer, ond doedd o ddim gwaeth ar ôl pob un ohonynt.

Wrth i Evan Roberts a chyfaill iddo ddod i lawr y Garneddwen ar gefn beics un tro, dyma Robin yn eu pasio fel corwynt ar gefn *A.J.S.* Ychydig ymhellach ar hyd y ffordd roedd cefn uchel (*hump back*). 'Cododd y motobeic i fyny a phan ddisgynnodd, daeth un o'r teiars i ffwrdd ac mi oedd Robin yn powlio fel pelen ar hyd y ffordd. Cyn ein bod ni wedi cyrraedd ato, roedd o wedi codi ar ei draed ac yn pwyso ar giât oedd wrth ymyl. Roedd o wedi brifo dipyn, a fi gafodd y job annifyr o ddweud wrth ei fam.' Er hynny, roedd yn ôl ar ei feic yn fuan wedyn.

Daeth Robin yn gymaint o arwr yn Llanuwchllyn yr adeg honno fel y byddai'r plant yn chwarae 'Robin Jac' ar iard yr ysgol, yn enwedig yn ystod cyfnod rasys Ynys Manaw. A byddent, hefyd, yn ei wylio'n ymarfer, a hwythau'n rhy ifanc i sefyll ar y corneli iddo.

Pan oedd Miss Davies, y Parc yn brifathrawes ar y plant bach yn Ysgol Llanuwchllyn, dyma hogyn bach yn dweud wrthi:

'Welest ti Robin Jac ar y beic ddoe? Roedd o'n mynd fel y diawl!'

Yr oedd ei allu a'i ddawn rasio yn amlwg wedi gafael yn nychymyg y fro.

Hanes y Rasys Motobeics

1934

Wedi iddo fwrw ei brentisiaeth wrth rasio mewn cystadlaethau yn Park Hall, Croesoswallt, penderfynodd roi ei enw ymlaen ar gyfer y *Manx Challenge*. Cynhaliai Clwb Croesoswallt y ras hon yn arbennig er mwyn dewis aelodau i'w tîm ar gyfer y *Manx Grand Prix*. Ar ddiwedd y ras, fe fyddai'r Clwb yn cynnig lle i'r tri cyntaf yn y ras fel aelodau o'r tîm a fyddai'n cystadlu yn y *Manx* y flwyddyn honno. Golygai hyn na fyddai'n rhaid i'r reidar dalu am gymryd rhan yn y *Manx*, ac y byddai help i'w gael ar gyfer y ras. Telerau'r *Manx Challenge* oedd fod y tri cyntaf yn mynd i dîm y Clwb gyda'r pedwerydd fel reidar wrth gefn, rhag ofn i un o'r lleill dynnu'n ôl cyn y *Manx Grand Prix*.

Daeth enwau ar gyfer y ras o bob cwr o Gymru, Lloegr a'r Alban. Gan na allai Robin fforddio talu am rasio ar Ynys Manaw, na fforddio beic rasio, roedd y ras hon yn gyfle i reidio dros gwrs enwog yr Ynys.

Ar y pryd, beic *Rudge* cyffredin oedd gan Robin, ac nid beic rasio go iawn. Wedi iddo roi ei enw ymlaen ar gyfer y ras yng Nghroesoswallt, aeth ati i addasu'r beic a'i wneud yn llawer cryfach a chyflymach nag y dylai fod — o ystyried mai beic cyffredin oedd o.

Fe drodd y ras i fod yn un agos iawn, a bu cryn gystadlu rhwng y brodyr Corfield o Abermiwl ger y Trallwng, Robin Jac, ac R. L. Graham, reidar a ddaeth yn enwog iawn ar Ynys Manaw yn ddiweddarach.

Dyma sut y gwelodd gohebydd y *Motor Cycle* y ras:

> *The highlight of the meeting was the Manx Challenge Race. After this neck or nothing effort, the rest of the day's racing seemed*

tame in comparison, with men of the calibre of Les Graham and R. J. Edwards battling it out wheel to wheel the race must indeed have been a heart stopper.

Roedd llai nag eiliad rhwng y tri cyntaf, wedi i Robin wneud ymdrech lew i ennill y ras ar y drofa olaf.

Dyma'r safleoedd terfynol:

Manx Challenge

1af (o 2/5 eiliad) E. A. Corfield (*Velocette 350* — beic rasio)
2il (o 1/5 eiliad) Walt Corfield (*A.J.S. 350* — beic rasio)
3ydd (o 2/5 eiliad) R. J. Edwards (*Rudge 350* — beic cyffredin **nid** beic rasio)
4ydd R. L. Graham (*Grindley 350* — beic rasio)
(Daeth Les Graham yn Bencampwr y Byd yn nosbarth 500 c.c. yn 1949.)

Manx Grand Prix

Cotton Python 250 c.c. oedd ei feic, y tro cyntaf iddo fentro ar yr Ynys. Roedd hwn yn hen feic, a bu'n gweithio'n galed iawn i'w gael yn barod ar gyfer y diwrnod mawr. Daliai i weithio arno am unarddeg o'r gloch, y noson cyn y ras. Fe'i perswadiwyd gan un o'i gyfeillion i fynd i'w wely gan ei sicrhau y gofalai ef am y manion a oedd i'w cwblhau.

Ar gychwyn y ras, drannoeth — ei ras gyntaf ar y cwrs — aeth popeth yn iawn i Robin, fe ymgartrefodd yn syth ar gwrs yr oedd i ddod i'w adnabod yn dda. Erbyn diwedd y drydedd lap, yr oedd Robin ar y blaen o dipyn, gyda W. D. Michell ar *Cotton 250* (a fyddai'n ennill y ras) 57 eiliad y tu ôl iddo. Roedd pob dim yn mynd yn iawn. Yna, trasiedi. Nogiodd y *Python* yn Sulby. Doedd dim dafn o betrol. Er mor barod ei gymorth fu'r cyfaill y noson gynt, anghofiodd dynhau'r nyten-glo ar y carbiwretor, felly yn ystod y ras, roedd y nyten wedi llacio a dod i ffwrdd, a chaead y *float chamber* wedi mynd. Ni chafodd dau aelod arall y tîm fawr o lwc chwaith. Cafodd E. A. Corfield ddamwain yn y '*Gooseneck*' ar y lap gyntaf, ac fe chwalodd peiriant ei frawd, Walter, ar y mynydd yn ystod yr ail lap.

Robin cyn y ras

Cychwyn y ras. Mae Robin ynghanol y llun — rhif 3

Ger y gornel a elwir yn 'Bungalow'

Mr. R. J. Edwards, Llanuwchllyn, sir Feirionnydd, yw'r unig Gymro fydd yn cymryd rhan yn rasus Ynys Manaw (Manx Grand Prix) ddiwedd y mis hwn.

1935

Yr oedd Robin i reidio *Cotton Jap 250 c.c.* yn y *Manx* y flwyddyn hon. Gydag amser yr ymarferiadau yn agosáu, doedd dim sôn am y beic yn dod o'r gwaith. Cyrhaeddodd dydd Gwener, a Robin i groesi i'r Ynys bore Sadwrn, ond doedd dim sôn am y beic. Roedd y beic yn dal yn y gwaith yng Nghaerloyw. Dyma Robin yn ffonio cwmni Cotton i holi ble roedd y beic, gan ei bod ben set erbyn hyn. Yr ateb a gafodd oedd fod y beic wedi cychwyn ar lorri i Stoke-on-Trent ynghanol twr o feics oedd yn cael eu hanfon i rywle yn y fan honno. Cysylltodd Robin â chyfaill iddo oedd yn byw yn Stoke-on-Trent ac yn gweithio i gwmni Lucas, a gofyn iddo symud y beic i'w gartref y prynhawn hwnnw. Gofynnodd hefyd i'w gyfaill a fyddai'n fodlon reidio ei feic ei hun gyda Robin yn ystod y nos. Cytunodd y cyfaill.

Aeth Robin i Stoke-on-Trent gyda'r trên, a chychwyn adref ar gefn y *Cotton*. Doedd dim treth, na rhif, na lamp y tu blaen na'r tu ôl iddo, na *silencer* ar y motobeic. Dilynodd yn glós wrth olwyn ôl beic ei gyfaill er mwyn gallu gweld y ffordd yng ngolau hwnnw, ac mae'n wyrth na chafodd ei stopio ar hyd y siwrne honno. Yng ngeiriau Robin: 'O'n i'n ddigon o ffŵl i feddwl cychwyn o Stoke-on-Trent i Lanuwchllyn heb gael fy nal!'

Cyrhaeddodd Llanuwchllyn yn saff, a chroesi y diwrnod wedyn i Ynys Manaw. Ond nid dyna ddiwedd ar ei broblemau. Cafodd ei stopio yn Douglas wrth fynd â'i feic i fyny i'r cwrs i ymarfer. Bu'n rhaid iddo ymddangos mewn llys i ateb cyhuddiad bod ei feic yn gwneud gormod o sŵn. (Mae hanes yr achos i'w weld yn yr adroddiad papur newydd sydd ar y dudalen nesaf.)

O gofio mai dim ond ychydig ddyddiau oedd wedi mynd heibio ers iddo gael y beic, mae'r sylw:

'Had driven his machine with the same silencer fitted for 3,000 miles on the mainland without objection from the police,'

yn gor-ddweud rhyw gymaint a dweud y lleiaf.

Un a oedd yn bresennol yn y llys y diwrnod hwnnw oedd E. Meirion Roberts, Hen Golwyn. Mae un hanesyn am yr achos yn aros yn ei feddwl hyd heddiw.

"SILENCER" AGGRAVATED THE NOISE, SAYS CONSTABLE.

In the case of R. J. Edwards, Constable F. Faragher said on Tuesday, at 6 a.m., defendant was riding along Buck's Road. The exhaust noise from his machine was excessive. He stopped him and found that the machine was fitted with a short exhaust pipe and a sort of trumpet on the end, which actually aggravated rather than diminished the noise. It had the same effect as a megaphone.

Edwards said he had driven his machine with the same silencer fitted for 3,000 miles on the mainland without objection from the police.

The High-Bailiff: I do not care if you have driven 10,000 miles, you must not make noise here unnecessarily.

Edwards: I did not make noise unnecessarily.

Constable Faragher said Edwards made no excuse at all. He was, however, driving slowly, and doing his best to avoid making an excessive noise. Two mornings after, he had another type of silencer fitted, which was much more effective.

Defendant said the silencer complained of was a standard fitting. Excelsiors had them fitted right through.

James Holme Kitchen, brother of another competitor, said this type of silencer was fitted with baffle-plates to stop the noise. They were fitted to standard bicycles for road work, and passed without objection in England.

SILENCERS DURING PRACTICES.

Chief Inspector Faragher asked if the silencers were used in the practices, and witness replied that they were not.

"Then," said Inspector Faragher, "they are committing an offence. They are not allowed to use machines without silencers in the practices, but only on race days.

Witness said very few riders had silencers when they went out on practices. They took them off and left them at the pits.

The Chief Inspector said there was no exception in regard to silencers, except on race days.

The High-Bailiff: I have heard of lots of people who actually leave the Island and go away for holidays at race times, to avoid the noise.

The Chief Inspector: We have more complaints about this noise than I care to think about.

The High-Bailiff: What must the people on the Quarter Bridge Road have to put up with?

The Chief Inspector: I had one here complaining just now.

NO OBJECTION ON THE MAINLAND.

Mr. Henry Kelly, advocate, said he wished to help the Court. He pointed out that Edwards drove from his home in Wales to Liverpool, without any objection being taken to the silencer. The same law applied in the early morning as later in the day: but these men were not pulled up for using this type of silencer in the day-time. He submitted that because there had been complaints about noise, Edwards was being made the scapegoat.

The High-Bailiff said he was satisfied with what the policeman had told him that the device fitted to the defendant's machine might silence it up to a certain point, but often that seemed to exaggerate the noise. It seemed to him that the most efficient silencers should be used on the machines when they were proceeding to the Start, and even after that. He thought there should be someone at he Start to see that that was done.

Mr. G. D. Hanson then appeared for the Manx Motor Cycle Club, the organisers of the M.G.P., and said he and the chief marshal were on duty at the Start, and they were both satisfied that Mr. Edwards' machine was not unduly noisy.

SHOULD SHOW CONSIDERATION.

The High-Bailiff said consideration was given the Club to enable the practices to take place, and they should have consideration for the people who lived on the course. No complaint was made about the noise on race days, but only about the noise in the early mornings. He thought more could be done to reduce the noise, even though it might reduce the speeds a little.

Mr. Hanson said if some racing bicycles were fitted with silencers it would ruin the engine in 100 yards.

The High-Bailiff: Then that machine is breaking the law every time it goes round the course. You must make representations to the authorities to have them exempted.

Mr. Hanson: We cannot.

The High-Bailiff: Then it looks like the finish of the races if that has to be insisted upon.

Mr Hanson said the idea of the M.G.P. was to extend the season in the Isle of Man. The officials sacrificed a lot of time for the benefit of the Island, and they felt that the people of the Island ought to co-operate with them and give them some help.

The High-Bailiff asked if it was reasonable that people — elderly people, perhaps—should be disturbed at six o'clock in the morning, just to please the riders and the Association.

Mr Hanson said he thought it reasonable that people should put up with a certain inconvenience for a limited time in order that the Island might benefit.

The case was dismissed on payment of 2s 8d costs.

Mona's Herald Sept 10/1935

Gwisgai Robin siwmper polo o dan ei gôt ledr, a chan fod y gôt yn rhyw gil-agored, dangosai'r ddwy lythyren *T.T.* (o'r *Cotton* oedd ar y siwmper). Dyma'r ynad (neu'r *high-bailiff* ar Ynys Manaw) yn gofyn i Robin, wrth weld ei siwmper:

'Is that Cotton?'

Cydiodd Robin yn ei siwmper gyda'i fys a'i fawd a gofyn:

'This, sir?'

'Yes,' meddai'r ynad.

'No sir,' meddai Robin. *'It's wool.'*

Mae'n rhaid fod yr ynad wedi ei gymryd yn yr ysbryd iawn, wnaeth o ddim dal y peth yn erbyn Robin, beth bynnag.

Fel yn 1934, yr oedd y *Junior Manx* a'r *Lightweight Manx* yn cael eu rhedeg fel un ras — y ddau ddosbarth ar y cwrs ar yr un adeg. Cyrhaeddodd Robin llinell gychwyn y ras er yr holl drafferthion, ond yr oedd mwy o anlwc i ddod. Pan ddaeth yn amser i Robin gychwyn, gwrthododd y beic â thanio a bu'n rhaid iddo newid pedwar plwg wrth giatiau'r fynwent (islaw'r llinell gychwyn) cyn cael y beic i danio. Os nad oedd hynny'n ddigon, bu'n rhaid iddo newid tri phlwg eto yn ystod y saith milltir nesaf, gan newid y plwg olaf ger Ballacraine. Gan mai cychwyn y ras fesul un, gyda bwlch rhyngddynt yr oedd y reidars, ac nid *massed start* gallai Robin weithio allan, o weld rhif 34 yn ei basio cyn iddo allu ailgychwyn, ei fod wedi colli 30 safle. Ei rif ef oedd 4, felly collodd 15 munud ar y lap gyntaf, yn wir yn ystod y saith milltir cyntaf. O ganlyniad i yrru rhyfeddol a meistrolgar, llwyddodd i orffen yn seithfed, a phe na bai wedi cael trafferthion gyda'r plygiau, mae'n bosibl y byddai wedi ennill, neu'n sicr, orffen yn y tri cyntaf.

Llwyddodd, hefyd, i dynnu sylw rhai o fawrion y gamp at ei ddull o reidio, gan ddangos addewid at y dyfodol.

Defnyddiwyd lluniau ohono'n reidio pont Ballig yn y ffilm a wnaeth George Formby, *No Limit*, ac yn ôl pob sôn, y mae un record sy'n gysylltiedig â'r bont honno'n sefyll yn ei enw am byth.

Nid dyna ddiwedd hanes y *Cotton Jap* hwn beth bynnag. Mewn llythyr at Wil Sam, rhoddodd Robin ychydig o hanes y beic, a'r hyn a ddigwyddodd iddo wedyn:

Hwn oedd y beic dorrodd 24 o *world speed records* mewn 24 awr yn Brooklands (Tach. 1935), nid un tebyg iddo ond hwn yn y llun. Y *records* oedd *1hr, 2hr, 3hr etc* a'r *100 miles, 200 miles, 500 miles etc.*

Jap (J. A. Prestwich) gadd y clod am y peiriant ond Eric Fernihough a minnau oedd wedi ei wneud allan o bob scrap e.e. *Sunbeam* oedd y *cylinder head* a *hairpin valve springs.*

Dyfynnaf o'r llythyr er nad wyf yn meddwl ei bod hi'n bosibl ei ddarllen heb binsied go fawr o halen.

Robin ar y Cotton Jap

1—(14)	**R. Harris New Imp.**	**3**	**18**	**6**
	68.58 m.p.h.			
2—(24)	**H. M. Rowell Rudge**	**3**	**29**	**20**
	64.90 m.p.h.			
3—(22)	**F. S. Cadman New Ip.**	**3**	**32**	**32**
	63.92 m.p.h.			
4.—(9)	**T. Cogan-Verney N.Ip.**	**3**	**32**	**47**
	63.85 m.p.h.			
5—(13)	**K. B. Leach Excelsior**	**3**	**37**	**51**
	63.36 m.p.h.			

All these receive replicas.

6—(7)	J. Longstaff Excelsior	3	39	0
7—(4)	R. J. Edwards Cotton	3	42	53
8—(21)	C. V. Moore New Imp.	3	45	34
9—(2)	J. Meekle Excelsior ...	2	45	38

The Start.

At ten o'clock promptly the first man on the list, Webster, got away. No. 4, Edwards (Cotton), was delayed, having to stop just below the pits in order to change three plugs /

R. J. Edwards (4) was delayed several minutes outside the Cemetery gates; he changed four plugs before he got his machine to fire properly.

The only other teams to finish were the Peveril team (W. A. Rowell, J. Cannell, and G. Corteen), and the Oswestry team (R. J. Edwards, W. L. Dawson, and L. W. Kitchen). 15th (350) 8th

1936

Dychwelodd i Ynys Manaw am y trydydd tro gyda beic arall unwaith eto, sef yr *Excelsior 250 c.c.*, 4 falf, *pushrod*, neu'r ***'mechanical marvel'*** fel y gelwid ef. Cafodd drafferth gyda falf wrth ymarfer, a dim ond un lap o'r cwrs y llwyddodd i'w chwblhau heb orfod aros i gael golwg ar y peiriant. Nid oedd y tywydd o unrhyw help chwaith, gan ei bod hi'n bwrw glaw ac yn niwl tew ar y mynydd yn ystod y cyfnodau ymarfer — y tywydd gwaethaf i reidar motobeic. Yn wir, bu'n rhaid rhoi'r gorau'n gyfangwbl i'r ymarferiadau ar y diwrnod cyn y ras.

Dyma adroddiadau am ddau o'r cyfnodau ymarfer:

The Start, Thursday.

Following the atrocious weather of yesterday, when the Manx Grand Prix practices had to be cancelled, the start had to be delayed to-day for half-an-hour, until 6-30 a.m., so that there was no question of any one doing two laps even if they had felt inclined, which is doubtful. The fog was not so bad as yesterday, when visibility on the mountain was practically nil, the riders saying it was possible to see about fifty yards or so at the worst portions, which included the Bungalow. At Creg-na-Baa visibility was about 100 yards.

Rain fell in torrents up to about 7 a.m., but eased off later. Thirty-four riders, many with waterproof coats over their leathers, started off, and each man was told of the conditions on the top, that it was raining all round the course, and advised to go slow on the mountain. Not a rider "lost a mark." Every one finished, some much later than others it is true, but all came through, and no one was reported as falling off. It was a trying morning for competitors, and for that gallant band of marshals and other officials round the course.

Best of the Lightweights was R. J. Edwards (Excelsior), a Welsh rider from Merioneth—it would be unfair to the compositors to ask them to give his place of abode more exactly—who has previous experience of the course. He lapped in 42 mins. 28 secs., a speed of 53.2 m.p.h.

The morning's best times were as follow :—

THURSDAY'S BEST TIMES.

LIGHTWEIGHT.

R. J. Edwards (Excelsior) (53.2 m.p.h.)	... ...	42 28
D. Parkinson (Excelsior) (51.6 m.p.h.)	... ...	43 50
H. M. Rowell (Rudge) (48.9 m.p.h.)	... ...	46 18

DOUGLAS, *Monday*.

THERE was a good muster of riders on the course for the last morning of practising, quite a number of whom still having to qualify. Those who needed a lap to do so were A. Pearson (249 O.K.-Supreme), A. E. Shaw (248 Excelsior), R. J. Weston (249 Rudge), H. W. Boswell (248 Cotton), R. J. Edwards (248 Excelsior), F. J. Hudson (348 O.K.-Supreme) and V. M. Wareing (493 Calthorpe). All succeeded in qualifying except V. M. Wareing, who had to do two laps.

The only Junior man to complete the lap in under 40 minutes was H. Taylor, on a Norton, and the best of the Lightweights was R. J. Edwards, on an Excelsior. He is a Welshman, and he is doing well in the practices

Y beic a reidiai Robin oedd y beic a ddefnyddiwyd gan Sid Gleave i ennill y *Lightweight T.T.* yn 1933. Dim ond am 14 milltir y parodd cyn i falf fynd drwy'r piston. Roedd yn andros o feic cyflym, un gwirioneddol gyflym, ond bod ei lywio'n waith anodd iawn — roedd ei *steering* yn felltigedig. Yn ôl Robin: 'doeddwn i byth yn siŵr yn y practis pa un ai'r olwyn flaen neu'r ôl oedd yn mynd i lawr Bray Hill gyntaf, roedd yn reidio fel hwrdd.'

Robin ar yr Excelsior

1937

Reidiai *Excelsior Manxman* y flwyddyn hon. Er iddo gael y trydydd amser cyflymaf wrth ymarfer nid oedd lwc yn ei ffafrio unwaith eto.

Ar lap gyntaf y ras yr oedd yn bumed, ac erbyn yr ail lap roedd yn drydydd, ac yn y safle hwnnw y bu hyd nes y chwalodd y peiriant yn Ramsey.

Gan nad oedd bws na char ar gael i'w gario i Douglas,

dechreuodd Robin gerdded, ac fe gofnodwyd yr hanesyn hwnnw yn y papurau newydd:

Retirements.

THIRD LAP.

No. 12, R. J. Edwards (Excelsior) at Ramsey, with engine trouble.

No. 15, J. S. Thomson (New Imperial) at Ballacraine, with a seized engine.

R. Lee (348 Norton) retired on the Mountain with carburettor trouble, R. J. Edwards (248 Excelsior) stopped finally on his third lap in Parliament Square, Ramsey, John Thomson's New Imperial seized at Ballacraine, and R. T. Drinkwater (248 Excelsior) stopped similarly at Union Mills.

THE LAST CIRCUIT.

Competitor Sets Off to Walk Home.

No. 16. B. Higginbotham (New Imperial), the oldest competitor, hit the wall at the Creg, fortunately without damage. He was continuing the race.

R. J. Edwards (Excelsior) who had packed up earlier, was reported to have started out to walk the fifteen miles from Ramsey.

Disgwyliai'r nifer cynyddol o Gymry a ddeuai draw i'w gefnogi iddo wneud yn dda. Bu cefnogwyr Robin yn ffyddlon iawn iddo, ond ar ôl iddo dorri i lawr yn Ramsey, collodd rhai o'r Cymry ddiddordeb yn y ras. Adroddir hanes am un cefnogwr brwd o Lanuwchllyn yn gwylio wrth garreg filltir enwog y *33rd*, a chan na ddaeth Robin heibio y tro hwnnw, torrodd ei galon a cherddodd i fyny i'r mynydd am nad oedd y ras o ddiddordeb iddo mwyach.

Mae un stori arall gwerth ei hadrodd am y flwyddyn hon. Wrth wylio'r 'Fellten Goch' o Lanuwchllyn yn pasio pum beic ar gornel Kate's Cottage sylw Joe Craig, rheolwr rasio cwmni Norton oedd:

'If that Welsh lad had a bike as fast as any in the race, the rest would'nt see him for dust.'

Roedd hwn â'i lygad ar Robin yr adeg hynny. Petai hi'n 1947 yn hytrach na 1937, yna fe fyddai Joe Craig wedi ei fachu, ac wedi rhoi beic iddo ddod yn bencampwr yr Ynys, os nad yn bencampwr y byd. Ond daeth yr Ail Ryfel Byd i rwystro hynny.

Leaders' Times and Speeds.

The weather was again ideal for practising to-day, and 78 riders were out, exactly double the previous best this year, 39 on Saturday. The times and speeds of the leaders were:—

LIGHTWEIGHT.

20.—L. Longstaff (C.T.S.) .... (68.97 m.p.h.)	32 50
10.—D. Parkinson (Excelsior) ... (67.49 m.p.h.)	33 33
12.—R. J. Edwards (Excelsior) ... (64.94 m.p.h.)	34 52

Aug 30th 1937

Sept — DOUGLAS, *Monday* (Part)

FOR their final morning of practising 75 riders were on the course and all qualified. Following rainy weather, the conditions were favourable except at odd points on the Mountain, where patches of fog persisted. The fastest lap time was returned by Maurice Cann on his Junior Norton. He was 2 secs. better than the fastest Senior.

C. G. Carpenter (348 Norton) collided with the wall at Cruickshank's Corner, Ramsey, and became the first rider to go to hospital, but happily his injuries were not serious. J. R. Dulson (348 Norton) came off on the Mountain and sustained slight hand injuries.

This morning's best times were:—

MONDAY'S LAP LEADERS.

Lightweight.

1. R. Harris (New Imperial), 37 mins. 47 secs., 59.93 m.p.h.
2. R. J. Edwards (Excelsior), 38 mins. [illegible] secs., 59.33 m.p.h.
3. [illegible] Longstaff (C.T.S.), 38 mins. 23 secs..

Race — 1st lap. Position

There had been five retirements, and Parkinson was hanging on to his lead as though he meant to keep it. He completed the circuit in 35 mins. 5 secs. but No. 27, H. M. Rowell (Rudge), had made up his time lag, and was now only five seconds behind him. Next came No. 20, Lawrence Longstaffe (C.T.S.), who was now going great guns, but he was a matter of 29 seconds behind the local rider. Then came No. 2, S. M. Miller (O.K. Supreme), with an aggregate time of 1 hr. 6 mins. 36 secs. in the fourth position; No. 12, R. J. Edwards (Excelsior), fifth, 1 hr. 7 mins. 23 secs., and sixth man was No. 25, A. C. Perryman (Excelsior), 1 hr. 9 mins. 35 secs.

1938

Ym mis Mai, aeth Robin drosodd i Ogledd Iwerddon i gystadlu yn yr *International North West 200 Grand Prix of Ireland* a gynhaliwyd yn Portrush. Yr *Excelsior Manxman 250* oedd ganddo unwaith eto, hwnnw a fu mor drafferthus ar Ynys Manaw y flwyddyn cynt. Llwyddodd i ddod yn drydydd yn y ras ac mae'r cwpan a dderbyniodd am hynny yn dal i fod yn Hendre Gwalia, yn cadw cwmni i'r tlysau eraill.

Mewn darllediad ar y radio, dywedodd Graham Walker yn union ar ôl i'r ras orffen:

I have no doubt that Edwards (Excelsior) is the winner of the major event — the Open Handicap, as he has undoubtedly beaten his handicap.

This of course is unofficial, as the handicaps are sealed and will not be made known until later this evening.

Credaf fod angen gair o eglurhad yma. Yn ogystal â'r dosbarthiadau *Senior (500 c.c.*), *Junior* (*350 c.c.*) a'r *Lightweight* (*250 c.c.*), yr oedd cystadleuaeth a elwid yn *Open Handicap*. Gosodwyd *handicap* mewn munudau ar bob reidar, yn ôl ei berfformiadau a'i record yn ystod y misoedd blaenorol. Dyna sut y gosodwyd y reidars yn eu safleoedd ar gyfer yr *Open Handicap* — ar sail eu perfformiadau yn y ras ac ychwanegiad o'r amser *handicap*.

Ar ôl agor yr amlenni (gan na wyddai neb beth oedd ei *handicap* ymlaen llaw) ar ddiwedd y ras, yr oedd gan Robin *handicap* o 17 munud. Y oedd yr *handicap* yma'n golygu ei fod yn gorfod rhoi 5 munud i A. E. Moules (enillydd y dosbarth *350 c.c.* ar *Norton*) ac i Ernie Lyons (enillydd y dosbarth *500 c.c.* ar *Triumph*) a oedd yn gyntaf ac yn ail yn yr *Open Handicap*, a 3 munud i'r trydydd, Harold Carter (ail yn y dosbarth *350 c.c.*).

Aeth Robin i holi paham yr oedd wedi cael y ffasiwn *handicap*. Wnaeth neb gyfaddef ymysg y swyddogion a threfnwyr y ras, ond fe ddaeth y rheswm yn hollol amlwg ymhen ychydig amser. Yr oedd reidar arall o'r enw R.A. Edwards o Swydd Efrog wedi ennill y *Leinster 200 Handicap* ar *Norton 500* y Sadwrn cynt ac yr oedd rhywun wedi rhoddi'r *handicap* anghywir i Robin. Nid oedd R.A. Edwards yn cystadlu yn y ras, beth bynnag, ond petai Robin wedi cael yr *handicap* cywir, yna fe fyddai wedi ennill.

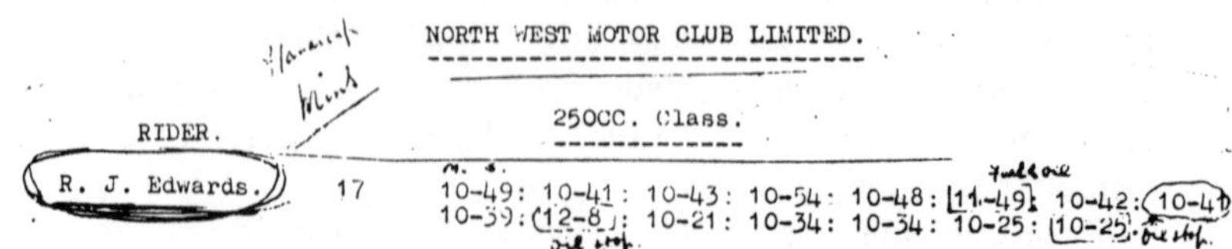

NORTH WEST MOTOR CLUB LIMITED.

250CC. Class.

RIDER.

R. J. Edwards. 17 10-49: 10-41: 10-43: 10-54: 10-48: [11-49]: 10-42: (10-41)
10-39: (12-8): 10-21: 10-34: 10-34: 10-25: [10-25].

"Ireland's Saturday Night"

May 14, 1938.

NORTH-WEST "200."

THRILLING FINISH.

MOORE WINS "BIG" EVENT.

FOSTER—TYRELL SMITH SUCCESSES

There was a sensational finish to the race when victory was snatched from Stanley Woods on the last lap. Starting his last lap with a lead of 67 seconds from J. Moore (Norton), Woods had the misfortune to run out of petrol at the Metropole Hotel, Portrush. The officials had his number and flag ready and the race was regarded as over when Moore appeared alone, having returned a very fast lap of 8 mins. 59 secs. Woods was unable to complete the course. Moore's time for the course was 2 hrs. 47 mins. 56 secs—71.22 m.p.h.

The 350 class was won by A. R. Foster (A.J.S.) in the time of 2 hrs. 42 mins. 37 secs—69.46 m.p.h.

The 250 c.c: class was won by H. G. Tyrell Smith (Excelsior) in 2 hrs. 44 mins. 57 secs—64.45 m.p.h.

THE 250 C.C. CLASS.

Fourth lap leaders. 250c.c. class.—1—H. G. T. Smith (Excelsior), 42min. 40secs. (65.37 m.p.h); 2, D. Parkinson (Excelsior), 44min. 45secs. 3, J. R. Edwards (Excelsior), 45min. 7secs.

The three Excelsiors still held the van in the 250 c.c. Class, in which there had been no change in leadership since the start of the race.

Result:—

1, H. G. Tyrell-Smith (Excelsior); 2 hours, 44 minutes, 57 seconds; 64.54 m.p.h.

2, D. Parkinson (Excelsior)); 2 hours, 49 minutes, 49 seconds; 62.60 m.p.h.

3, R. J. Edwards (Excelsior): 2 hours, 52 minutes, 1 second; 61.44 m.p.h.

CLASS HANDICAP WINNERS.

500 c.c.:—1, E. Lyons (Triumph); 2, J. M'Credie (Rudge); 3, C. Foord (Norton).

350 c.c.:—1, A. E. Moules (Norton); 2, H. Carter (Norton); 3, T. Hamilton (Norton).

250 c.c.:—1, H. Hartley (Rudge); 2, G. M'Adams (New Imperial); 3, R. J. Edwards (Excelsior).

FASTEST LAPS.

500 c.c.:—S. Woods (Velocette), 8 minutes, 50 seconds (75.22 m.p.h.).

350 c.c.:—A. R. Foster (A.J.S.), 9 minutes, 5 seconds (73.14 m.p.h.).

250 c.c.:—R. J. Edwards (Excelsior), 10 minutes, 3 seconds.

66

OPEN HANDICAP.

1, A. E. Moule (Norton) (22 minutes), 2 hours, 29 minutes, 44 seconds (nett time). 2, E. Lyons (Triumph) (22 minutes), 2 hours, 30 minutes, 11 seconds. 3, H. Carter (Norton) (20 minutes), 2 hours, 33 minutes, 2 seconds.

O ganlyniad i'w berfformiad da yn Iwerddon, cafodd wahoddiad gan *Excelsior*, ac yntau'n 27 oed, i fod yn aelod o'u tîm yn yr Iseldiroedd ar gyfer ras bwysig (*Dutch Grand Prix*) ac i ddilyn hynny, i gael ei noddi ganddynt yn y *Manx*. Dyma damaid o newyddion gwefreiddiol i frawdoliaeth y motobeicwyr yng Ngogledd Cymru, ac yn gyfle yr oedd Robin wedi ei haeddu ac wedi gobeithio amdano. Felly, aeth ati i baratoi ar gyfer y ras yn yr Iseldiroedd. Ond nid oedd ffawd yn garedig iddo y tro hwn chwaith.

Damwain Pont y Lliw, Llanuwchllyn

Dyma hanes sy'n fyw iawn yn Llanuwchllyn o hyd, a barnu o'r nifer o weithiau yr adroddwyd ef wrthyf fi. Yr hyn sy'n anhygoel yw fod y manylion fwy neu lai yr un fath. Wrth gwrs roedd safle'r gwahanol bersonau a fu'n disgrifio'r ddamwain imi yn golygu eu bod yn gweld y peth yn digwydd (neu glywed y ddamwain yn digwydd) o le gwahanol, ond bod gwneuthuriad y motobeic yn amrywio'n arw iawn. Mewn erthygl yn *Y Cyfnod*, fe ddisgrifiodd Robin y ddamwain, a ddigwyddodd ym mis Mai 1938:

> Diwrnod neu ddau cyn cychwyn am y cyfandir daeth hogiau o Harlech i Lanuwchllyn i gael golwg ar yr *Excelsior* yn hel ei draed ac o ganlyniad torrais fy nghoes. Cwrddais â modur oedd am y ffordd i gyd iddo'i hun ar Bont y Lliw yma. Tarewais bostyn y G.P.O. ar y chwith a'r modur ar y dde. Cefais lai na dwy droedfedd o le ganddo. Dyna derfyn ar fy rasio am y flwyddyn, ac yn wir, fel y trodd pethau allan, yn Iwrob; dyna'r diwedd am wyth mlynedd.

Cyn i'r ddamwain ddigwydd, roedd Robin, yn ôl ei arfer, wedi trefnu gwylwyr yma ac acw i wneud yn siŵr na ddeuai dim o'r ffyrdd croesion i'w lwybr. Yn anffodus, ni allodd ragweld y byddai car yn dod ar yr ochr anghywir o'r ffordd. Llenwai'r *Vauxhall* y bont. Petai rhyw fodfedd arall yn ychwanegol i'r ddwy droedfedd a gafodd Robin, yna byddai wedi mynd heibio'r car. Ond roedd y bwlch yn rhy gul, ac fe fachodd llyw y motobeic yn y polyn teliffôn ar y chwith, ac fe fachodd coes Robin yn mydgar ôl y car.

Fel hyn y cofia Wyn Gittins Owen y digwyddiad:

> 'Ddangosai i chi hwn yn mynd rŵan,' meddai Robin, 'Rhowch signal os ydi'r ffordd yn glir.' Dyma fo i ffwrdd i fyny'r ffordd fel y cythgam a rownd y garej am Bont Lliw, a diawch, aeth y sŵn i ffwrdd fel'na, oeddan ni'n methu deall lle'r oedd o. Ac roedd John Jones, *New Inn* wedi dod i'r ffordd ac yn gweiddi arnom ni, a dyna lle roedd Robin, yn hopian ar un goes i ryw gar ac yn gweiddi:
>
> 'Cuddiwch y beic lads cyn i Morgans (y plismon) ddod.'
>
> Roedd y teiar ôl wedi dod i ffwrdd, a dau gar wedi dod i'w

gwfwr o ar Bont Lliw. Y diwedd fu iddo hitio polyn teliffôn ac roedd hoel yr *handlebars* ar hyd ochor y car hwnnw.

Mi fuodd mewn plastar ar ôl hynny.

Dyma fersiwn Evan Roberts:

O'n i'n brysur yn y garej adeg honno ac wedi rhedeg draw. Roedd y *kick start* (ar ochr dde i'r beic wrth eistedd arno) rhwng y polyn teliffôn a'r wal a dwn i ddim sut aeth hwnnw i fanno.

'Cuddiwch y beic cyn i Morgans ddod,' meddai Robin — doedd ganddo fo ddim *tax* na dim arno — beic rasio oedd o, a Robin wedi sticio *trade plates* arno.'

Dyma atgofion Alon Morris:

Roeddwn i yn y cae yn Nhŷ'n Rhos. Roedd o'n troi Pont Lliw ar naw deg. Roedd 'na gythral o glec a dyma fynd i lawr yn syth. Beth oedd wedi digwydd oedd i gar ddod at y bont ar yr ochr anghywir. Mi welodd Jac New Inn Robin yn powlio tuag ato fel pêl.

'Ffonia Gruff i nôl fi, wa,' meddai.

Fel hyn y gwelodd Mered Jones y ddamwain. Roedd yn sefyll wrth y bont, felly fe welodd fwy na'r lleill:

Roedd o wedi cael menthyg *Norton* Stanley Woods. Roedd 'na giard ar y Tyrpeg, giard fan hyn [ger y bont]. Roedd o'n ei hagor hi, was bach, mi ddoth rownd fan hyn. Roedd 'na gar reit ochor draw i'r bont. Aeth Robin heibio'r car ond mi gopiodd ei droed yn y wing ôl. Roedd hoel y *foot rest* wedi torri i mewn i'r polyn teliffôn ar y bont; mi fu yno am hir. Robin yn codi ac yn tynnu handlen drws y car o'i fraich — roedd hi wedi mynd i'w fraich o — a'i lluchio hi at y boi oedd yn gyrru'r car.

'Keep to your bloody side you English bastard.'

Rhoddwyd help i Robin fynd at Doctor Davies. Roedd o 'di torri pump o esgyrn yn ei goes. Y doctor yn strapio Robin a'i roi mewn plastar.

Noson wedyn, roedd o yn y Bala mewn car.

'Be ddiawl ti 'neud fan hyn, Robin?'

'Chwilio am gywen, wa, chwilio am gywen.'

Roedd o'n newid y gêr efo ffon — pwyso ar y clytsh efo ffon.

Yn ôl Trevor Morgan, yr oedd Robin wedi rhoi gorchymyn i'r un oedd yn giardio wrth y Bont — 'Paid â fflagio os oes car yn dod. Fel dwi'n dod at y bont, dwi'n gallu eistedd i fyny a gweld i'r ochr draw os oes car yn dod.' Roedd yn gallu gweld i ffordd Bala. Ond yn anffodus, roedd y car yn dod ar yr ochr anghywir o'r ffordd ac ni allai Robin ei weld, felly dyma'r ddamwain yn digwydd.

Ym mis Medi 1939, yr oedd Robin wedi cael *C.T.S.* (*Chris Tattersall Special*) i'w reidio yn y *Manx*. Yr oedd y beic eisoes wedi cyrraedd yr Ynys ond cyn i Robin fynd drosodd fe dorrodd y Rhyfel allan ac fe ohiriwyd y rasio. Bu'r *C.T.S.* yn segur yn Douglas tan 1946.

Fe gofiwch i Joe Craig, rheolwr rasio *Norton* fod a'i lygad ar Robin. Roedd Robin yn reidar yr oedd y gŵr hwn wedi ei glustnodi ar gyfer ei dîm at y *T.T.* yn 1940 — tîm o dri, y tîm gorau yn y byd ar y pryd. Yn ôl pob sôn, y ddau arall oedd i fod yn y tîm gyda Robin oedd Harold Daniel ac Artie Bell — ond ddaeth y tîm ddim i fodolaeth oherwydd y Rhyfel. Bu Stanley Woods, a fu'n bencampwr ar Ynys Manaw ddeg o weithiau, hefyd yn cadw golwg ar Robin gyda'r bwriad o gynnig lle iddo yn ei dîm ef.

Ond fe ddaeth y Rhyfel a chwalu breuddwydion Robin, a'i amddifadu o'i flynyddoedd gorau. Cred llawer hyd heddiw y byddai wedi bod yn bencampwr y byd heblaw am hyn.

Pan ddaeth y beics yn ôl i Ynys Manaw ar ôl y Rhyfel, fe allai fod wedi cael cyfle i fynd i dîm *Norton* yn ôl stori a glywais. Un peth oedd yn rhwystro hynny, sef ei oed. Roedd Robin bellach yn ei dridegau hwyr ac mae'n debyg yr hoffai Joe Craig i'w reidars fod o dan 30. Felly, ar ddiwedd y pedwardegau aeth beic a oedd yn wreiddiol wedi ei glustnodi ar gyfer Robin i reidiwr ifanc addawol. Ei enw oedd Geoff Duke.

C.T.S.

Gan mai ar y *C.T.S. 250 c.c.* y bu Robin yn reidio cwrs Ynys Manaw yn ystod y blynyddoedd wedi'r Rhyfel, dyma ychydig o hanes y beic.

Rhoddwyd yr enw *C.T.S.* — *Chris Tattersall Special* — ar y beic gan mai gŵr o'r enw Chris Tattersall, o St Anne's ger Blackpool oedd yn gyfrifol am adeiladu'r beiciau. Bu'n reidio ar Ynys Manaw ers 1926 ac roedd ei record yno ac yn Iwerddon yn un dda iawn. Fel Robin, roedd yn smociwr trwm, ac yn ôl bob sôn roedd yn rhaid i chi fod yn lwcus iawn i'w weld heb sigaret yn ei geg.

Mewn gweithdy ger ei gartref yr adeiladai'r beiciau a dim ond llond dwrn ohonynt a adeiladwyd ganddo. Fel arfer, roedd ganddo dîm o bedwar, gan gynnwys ef ei hun, yn reidio ar Ynys Manaw.

Peiriant *Rudge* pedair falf, 1933, oedd yn gyrru'r *C.T.S.*, gyda ffrâm soled a fforch flaen (*girder forks*) ddi-sbring . Pan reidiodd Robin y beic hwn i'r nawfed safle yn 1949 ac wedyn yn 1950 roedd pob beic arall fel gwely plu i'w reidio o'i gymharu ag ef.

1946

Y ras gyntaf ar ôl y Rhyfel oedd *Grand Prix* Sbaen yn Barcelona ac fe gafodd Robin wahoddiad i reidio *Norton*, ond 'gan fod y Sbaenwyr mor grintachlyd â'u pesetas' ni dderbyniodd y gwahoddiad. Roedd dau reswm arall, hefyd. Roedd wedi cael cynnig mynd â'r *Norton* i *Grand Prix* Gwlad Belg, ras oedd yn debygol o dalu'n well, ac yntau yn un o'r ychydig reidars o Ynysoedd Prydain i dderbyn gwahoddiad i rasio yno.

Ond y prif reswm, oedd ei fod wedi cael cynnig *Norton* i fynd yno, nid unrhyw *Norton*, ond y beic a adeiladwyd yn 1939 yn arbennig i'r Gwyddel, Stanley Woods, y reidar ras gorau aned erioed (ym marn Robin) a oedd, ar ôl y Rhyfel, yn teimlo ei hun yn rhy hen i rasio ychwaneg. Felly dyna sut y cafodd y cyfle i reidio'r beic, a hefyd (yn ôl Robin eto) am nad oedd Stanley Woods yn dymuno gweld Sais yn ei reidio.

Hwn oedd y *Norton 500 c.c.*, y beic cyflymaf a fu o dan law Robin erioed, os nad y cyflymaf yn y byd ar y pryd. Âi hwn 145 milltir yr awr ar ei eithaf, ac fe gyrhaeddodd Robin hynny wrth ymarfer ar

Robin gyda'r C.T.S. (1947)
(Fe welir hefyd ei helmed gyda'r Ddraig a'r Triban arni)

Robin gyda'r C.T.S. (eto yn 1947)
yn dangos y tanc petrol a'r enw

gyfer ras — a hynny ar ben Bwlch Tal y Llyn! Âi 62 milltir yr awr yn y gêr bach hyd yn oed. 'Nid yw beiciau heddiw fawr cyflymach yn eu gallu i godi gwib yn sydyn, — yn effeithiolrwydd eu brêcs y mae'r gwahaniaeth mawr,' yn ôl Robin yn ddiweddarach.

Bu Robin yn profi'r beic ar ffyrdd Meirionnydd. 'Ei chychwyn hi ar doriad dydd cyn i'r plismyn godi a dod yn ôl at frecwast, wedi bod â rhan helaeth o ffyrdd Meirion o dan yr olwynion.' Clywodd rai yn dweud y medrent glywed y *Norton* yn canu mynd ar y Migneint o Lanuwchllyn, felly aeth am Wlad Belg yn ffyddiog iawn.

Yn ystod y Rhyfel, chwalwyd holl gyfundrefn rasio cwmni Norton, a doedd neb yn y gwaith yn gwybod sut i gael peiriant ras i redeg ar betrol *pool* — yr unig betrol oedd ar gael, a stwff gwahanol i'r hyn oedd y beic wedi ei adeiladu ar ei gyfer (60/40 *petrol/ benzole*). Bu'n rhaid i Robin wneud y gwaith arbrofi a'r cyfnewidiadau i gyd ei hun, ac fe fu'n waith wythnosau o lafur.

Ym mis Gorffennaf y cynhaliwyd y ras, a galwodd Robin yn nhŷ Delwyn a Lil Phillips yn Birmingham pan oedd ar ei ffordd i wlad Belg. Rhoddasant help i Robin i wthio'r beic o'u cartref i'r orsaf drên — y beic wedi ei orchuddio â baner y Ddraig Goch.

Cyfarfu'r criw yn Folkestone ar fore Sadwrn, Gorffennaf 13, ac wedi codi'r beics ar y cwch aeth pawb arni a chroesi'r sianel, gan lanio yn Ostend am 5.15 p.m. Cafwyd gwŷr o Wlad Belg i ofalu am y beics ac aeth pawb arall mewn bws i'r gwesty.

Gan fod y cyfnodau ymarfer yn Le Zoute wedi dod i ben y Sadwrn hwnnw, cafodd y criw o Ynysoedd Prydain ganiatâd arbennig i ymarfer ar y Sul. Cwrs cyflym iawn ydoedd, un hollol wahanol i Ynys Manaw. Ond fe fu bron i Robin beidio â chychwyn y ras. Sylwodd nad oedd baner y Ddraig Goch ymysg y baneri eraill a chwifiai ar y polion o gwmpas y cwrs. Gwrthododd Robin â chymryd rhan yn y ras hyd nes y byddai'r Ddraig Goch yn chwifio gyda'r gweddill. Ildiodd y trefnwyr, a phan ddaeth Robin yn ôl ar gyfer y ras, roedd baner ei wlad yn chwifio ymysg baneri'r gwledydd eraill.

I fynd i'r cwrs o'r lle'r oedd y beiciau wedi cael eu cadw dros nos, roedd yn rhaid troi i'r chwith yna i'r dde yn y groesffordd gyntaf.

Cychwynnodd gyda *Moto Guzzi* Eidalaidd wrth ei ochr ond pan ar fin troi i'r dde, daeth coblyn o fws i'w cyfarfod. Anghofiodd Robin am reol ffordd y cyfandir gan droi i'r chwith i'w osgoi a 'gwneud popeth ond crafu paent y bws.' Cychwyn drwg, ond roedd gwaeth i ddod.

Trwy holi'r trigolion lleol, cafodd ar ddeall fod tri yn y ras nad oedd gobaith i neb eu dal, sef Lampinen o'r Ffindir yn reidio *Husqvarna*, Tacheny o Wlad Belg ar gefn *F.N.* a Knijnenburg o'r Iseldiroedd ar *B.M.W.*, tri enw a oedd eisoes yn adnabyddus. Y farn gyffredinol oedd mai Knijnenburg oedd yn sicr o ennil gan ei fod, yn ôl yr adroddiadau, wedi dysgu'r llinell gywir i gymryd pob cornel i'r fodfedd eithaf o led y ffordd, ac yn mynd fel cath i gythraul ar yr union *B.M.W.* oedd wedi ennill y *Senior T.T.* yn Ynys Manaw yn 1939. Mewn *massed start* i ymarfer fodd bynnag, bu Robin yn ffodus i danio ar ôl gwthio ond cam neu ddau, a chael ei hun yn ail ar y drofa gyntaf, a'r un o'i flaen oedd Knijnenburg ar y *B.M.W.* Manteisiodd Robin ar ei gyfle i geisio ei ganlyn er mwyn i'r gŵr o'r Iseldiroedd, yn ddiarwybod, ddysgu'r llinell gyflymaf trwy'r corneli i Robin, a deallodd Robin yn fuan y medrai'r *Norton* fynd cyn gyflymed ag o, a'i fod, ym marn Robin, yn cymryd aml i gornel yn rhy araf. Doedd dim pwrpas yn y byd ei basio, buasai hynny ond yn rhoi ar ddeall iddo bod raid iddo fynd yn gynt, a phenderfynodd Robin mai ei dacteg ras fyddai dal ar ei gynffon i'r drofa olaf un a'i basio ar honno pryd y byddai'n rhy hwyr iddo feddwl am fynd yn gynt gan nad oedd ond dau gan llath o'r drofa olaf i'r lein.

Fel y dywedodd Robin — 'yr oeddwn yn fy meddwl fy hun wedi ennill y ras yn barod a 8,500 ffranc ar eu ffordd i 'mhoced.' Ond nid felly roedd pethau i fod.

Ar newyddion BBC Llundain am chwech o'r gloch y noson honno, clywodd ei deulu yn yr Hendre Mawr bod Robin wedi cael damwain. Ni chafwyd mwy o fanylion na hynny. Dyma'r unig dro erioed i Robin gael damwain mewn ras bwysig, ac fe boenai am y cyhoeddusrwydd a gafodd, gan fod damwain mewn ras yn cael ei ystyried yn farc du i reidar.

We are glad to learn that R. J. Edwards, who also met with an accident . is back in Birmingham and making satisfactory progress.

Belgian Grand Prix

BETTER.—We were pleased to hear that Mr. R. J. Edwards, Llanuwchllyn is improving after his injury received while competing in a Motor cycle race in Belgium some days ago.

Beth ddigwyddodd? Cafodd Robin gnoc ar ei ben a thorrodd ei drwyn. Dioddefodd yn ddrwg o *concussion*. Nid oedd yn cofio dim am y ddamwain. Yn ystod y ras, fe laddwyd dau reidar, dau oedd rywle y tu ôl iddo, sef Grizzly o Wlad Belg a Gott o Loegr, ar drofa gyflym. Pan ddaeth Robin rownd unwaith eto, roedd yr olew o feic Gott yn dal ar y ffordd, a chan ei fod yn teithio ar 100 milltir yr awr, sgidiodd. Daeth allan o'r sgid ond roedd hyn wedi peri iddo fynd oddi ar y llinell iawn, ac aeth ar ei ben i goeden. Yn ffodus, roedd digon o wellt o gwmpas y goeden i arbed ei fywyd.

Yn ôl Robin, daeth ato'i hun ymhen tridiau, i ddeall fod rhywbeth o'i le ac i ddarganfod mewn drych mai ei lygaid a'i geg oedd y cwbl oedd yn y golwg o'i ben. Roedd y gweddill mewn *bandages* ac yn ei eiriau ef 'roeddwn wedi colli trwyn fuasai'n addurn i Miss World a chael un gwaelach yn ei le, ond diolch i lawfeddyg o Brwsel amdano, mae'n gwneud y tro yn iawn.'

Yn ystod y blynyddoedd wedyn bu'n adrodd stori wahanol, gan ddweud 'gollis i 'nhrwyn fan honno,' neu weithiau soniai am 'y gwaith go sâl a wnaeth y *German* ar hwn.'

Ac yntau'n bell o fod yn iawn, gadawodd Wlad Belg heb ddweud gair wrth neb, a chael ei hun yn nhŷ cyfaill yn Birmingham. Y cyfaill hwnnw oedd Delwyn Phillips, a dywedodd ef a'i wraig Lil fod Robin wedi cyrraedd eu cartref 'gyda'i wyneb yn greithiau i gyd a phaent melyn arnynt.' Aeth Lil Phillips ag ef i'r ysbyty er mwyn iddo gael archwiliad. Yr oedd y meddyg yn pwyso arno i aros i mewn, ond roedd Robin yn mynnu mynd adref at ei fam. Felly aeth y ddau ohonynt ag ef a'i roi ar y trên am adref, gan ei fod yn dal i ddioddef yn ddrwg o'r *concussion*.

Sut y cyrhaeddodd Birmingham yn y lle cyntaf? Roedd ganddo rhyw gof am Albanwr yn mynd ag ef yn ei gerbyd o Bruges i Ostend. Cofiai rhywfaint o'r daith honno, ond nid oedd yn cofio dim o'r daith yn y cwch dros y môr.

Cofio, wedyn, mynd ar y *Continental Express* yn Folkestone a dyna'r cwbl. Does wybod sut y bu iddo fynd i Paddington i ddal y trên i Birmingham. A beth am docynnau a phasport? Wyddai ddim o hanes y *Norton*, dim ond i hwnnw hefyd gyrraedd yn ôl yn dolciau byw, rai dyddiau'n ddiweddarach. O ganlyniad i hyn, fe fu 'ar goll ym Melg hyd nes i heddlu Birmingham ddod o hyd imi.' Bu heddlu gwlad Belg yn chwilio amdano gan nad oedd wedi cael caniatâd i adael yr ysbyty nac i adael y wlad.

Teithiodd ar y trên i Lanuwchllyn. Yn Llandderfel, pwy ddaeth ar y trên, ond ei gyfaill Gwilym Rhys (Roberts) a oedd yn athro yn Llanuwchllyn ar y pryd. Bwriad Robin oedd disgyn o'r trên yn Llys Halt, tua hanner milltir o'r Hendre Mawr,ac fe gredai y buasai wedi cyrraedd ei gartref yn ddiogel gan ei fod wedi dod yr holl ffordd o Wlad Belg. Ond doedd Gwilym Rhys ddim o'r un farn, a gadawodd Robin yng ngofal gorsaf feistr y Llan tra y cerddai i nôl ei gar, i ddanfon Robin i'r Hendre Mawr. Yr oedd Robin yn ysgwyd fel deilen, ei nerfau o wedi mynd, ac yn ddyn gwael.

Bu'n cysgu am y rhan fwyaf o'r mis y bu adref ac fe'i siarsiwyd ef gan y meddyg i beidio reidio am gyfnod maith.

'Gofala di paid ti â meddwl am fynd i'r Eil o Man yna,' oedd ei eiriau, geiriau a aeth i mewn drwy un glust Robin — ac allan drwy'r llall!

Mae un hanesyn am y ras yng Ngwlad Belg sydd yn ddryslyd iawn ac ni chaiff byth ei egluro, bellach. Mewn erthygl yn *Y Cyfnod*, adroddodd Robin hanes y ddamwain, ac yna hyn:

> Yn *despatch rider* gyda'r fyddin yn yr Almaen roedd Dewi Bowen (o Lanuwchllyn) ac wedi clywed oddi wrth ei deulu fy mod yn reidio y diwrnod hwnnw. Cymrodd ddiwrnod i ffwrdd i ddod i weld y ras. Cyrhaeddodd y cwrs mewn pryd i'm gweld yn cael fy nghludo i ffwrdd mewn ambiwlans.

Pan fûm yn siarad â Dewi Bowen wrth gasglu deunydd ar gyfer y llyfr hwn, dyma a ddywedodd am yr hanes yn *Y Cyfnod*:

> Un peth sydd wedi 'mhoeni i, roeddwn yn y fyddin am gyfnod wedi i'r rhyfel fynd drosodd ac roedd Robin wedi mynd i Wlad Belg i rasio. O'n i yn yr Almaen yr adeg honno ac yn gwybod dim byd fod Robin yn rasio yng Ngwlad Belg. Dwi'n siŵr petawn i'n gwybod, y buaswn wedi *cerdded* yno, ond wyddwn i ddim byd. Ac eto bob tro, mi fydde Robin yn sôn amdana' i yn dod i'w weld yn yr ysbyty yng Ngwlad Belg ond fues i ddim, ac roedd o'n mynnu fy mod wedi bod. Dwi wedi meddwl wedyn tybed pan ddaeth o ato ei hun ar ôl bod yn anymwybodol am rai dyddiau, ei fod o wedi meddwl amdana' i neu rywbeth. Ond fues i ddim ar gyfyl y lle — wyddwn i ddim am y ras.

Manx Grand Prix, Medi 1946

Pum wythnos ar ôl cael y ddamwain fawr yng Ngwlad Belg, aeth Robin i rasio ar Ynys Manaw, gan sicrhau ei ganlyniad gorau erioed ar yr Ynys. Cafodd y lap gyflymaf yn yr ymarferiadau, a hynny gyda'r ffordd yn wlyb a llithrig, tra oedd yr agosaf ato wedi cael ei lap orau ar ffordd sych. Ond roedd y meddygon yn ei wylio fel hebogiaid.

Proffwydai'r papurau *Examiner* Ynys Manaw, *Saturday Night*, Iwerddon a *Motor Cycling* Lloegr y byddai'n ennill, ac felly pan alwyd ef o flaen yr awdurdodau roedd ganddo ddadl gref dros gael cychwyn y ras.

MANX GRAND PRIX PRACTICES.

HUGE CROWDS SEE AFTERNOON EVENT.

REHEARSAL FOR RACE DAYS.

115 RIDERS OUT.

A huge crowd witnessed the first afternoon practices ever held for the Manx Grand Prix on Thursday, and the grandstand at the start was well filled, and all round the famous course were great numbers of interested people. The progress of the riders round the course w-- indicated on the clocks above their numbers.

THRILLS AT CREG-NA-BAA

Creg-na-Baa corner, one of the most famous on the course for its thrills and spills, was a popular rendezvous on Thursday. Over 2,000 people lined the banks and hedges to watch the riders hurtling down the half-mile stretch from Kate's Cottage, down the valley at close on 100 miles an hour.

AT BRADDAN BRIDGE.

The cornering at Braddan Bridge yesterday was excellent, although within the first half-hour of practising starting, three of the riders—wise men—realising that they had approached the first corner too fast, shot up the Strang Road, and later came back on the course.

The famous bends were banked by people sitting on the hedges and sixpences were readily forthcoming for seats in the grandstand there. Incidentally, although the day was cold, the ice cream and soft drinks stand did a roaring trade.

Some excellent riding was witnessed, and already there are positive stylists in cornering among our new lot of Grand Prix men. Crossley, Briggs, Goodman, Lyons, were all first class, and then Edwards, on a Lightweight C.T.S. came along at no mean speed—smoking a cigarette. Many of the spectators wondered where he got it from. He made a somewhat impressive sight.

LIGHTWEIGHT

R. J. Edwards (C.T.S.) ...... (63.99 m.p.h.)	35	23
W. Reeve (Excelsior) .... (60.71 m.p.h.)	37	18
B. Drinkwater (Excelsior) ... (60.46 m.p.h.)	37	27

T.T. Special Aug 31st/46

PRACTICES LEADER BOARD
(UP TO DATE)

LIGHTWEIGHT

	m.	s.
1.—R. J. Edwards (C.T.S.) ..	35	23
2.—D. G. Crossley (Excelsior)	35	26
3.—B. Drinkwater (Excelsior)	35	35
4.—J. Brett (Excelsior)	36	42
5.—L. W. Parsons (Rudge) ..	36	47
6.—R. S. Simpson (Excelsior)	36	55

Doedd y meddygon ddim yn hapus ond cafodd y 'golau gwyrdd' ar yr amod y byddai'n stopio pe na byddai'n teimlo'n dda. Diwrnod cyn y ras, yn anffodus, fe falodd ran o'r gêrbocs ac roedd y darnau angenrheidiol tan glo yn y gwaith (gweithdy Chris Tattersall) ger Blackpool, a'r goriad ar Ynys Manaw. Roedd y beic i'w ailadeiladu i gyd ac i fod yn y *weighing in* (lle byddai'r swyddogion yn archwilio'r beics) ymhen ychydig oriau, felly rhaid oedd cael rhywun i fynd ar yr awyren gyntaf am Blackpool.

Trwy drugaredd, roedd mintai o Benllyn wedi dod drosodd i wylio'r ras, ac yn eu plith, Eddie Leary o'r Bala, ac ni fu'n rhaid gofyn ddwywaith iddo. Rhaid cofio nad taith braf oedd croesi drosodd mewn awyren yn 1946 ond fe ddaeth yn ôl a'r darnau gydag ef. Bu'r golau ymlaen yn hwyr iawn y noson honno, ac yn ôl un stori a glywais (ond un na fedraf ei chadarnhau) gwnaed y gwaith i gyd wrth ymyl, neu yn y maes awyr, a bu Robin yn mynd i fyny ac i lawr y rynwe ganol nos i brofi'r beic — lle delfrydol i agor allan, ar ffordd syth, heb drafnidiaeth na thai. Wedi'r profion hyn, roedd y beic yn barod ar gyfer y ras.

Cafodd gychwyn y ras, a thua hanner ffordd drwyddi, ar ôl y drydedd lap, yr oedd yn bell o fod yn teimlo'n iawn, ond yn ei eiriau ei hun — 'pwy fuasai yn stopio a rhywun yn gorwedd yn ail a gobaith ennill? Nid y fi.' Daliodd i fynd, er fod ei gyflwr yn dirywio.

Ar ddiwedd y lap gyntaf safai'n ail, wedi pasio 35 o gystadleuwyr oedd wedi cychwyn o'i flaen. Ai hon, tybed, fyddai'r flwyddyn hir ddisgwyliedig?

Nage'n anffodus. Fel yr âi'r ras rhagddi mewn niwl a glaw mân, aeth llygaid Robin i'w flino. Roedd yr ysgytwad a gawsai yng Ngwlad Belg bum wythnos ynghynt yn awr yn dweud arno dan y straen.

Ni welai fawr ddim erbyn diwedd y ras. Bu'n ffodus i gwblhau'r cwrs o gwbl, heb sôn am groesi'r llinell yn bedwerydd. O ganlyniad i'r perfformiad dewr yma, daeth y tlws *Manx Grand Prix 250 c.c.* (*Manx Grand Prix Replica*) cyntaf erioed i Gymru, ac yn Llanuwchllyn y mae byth, yn cadw cwmni i'r un arall a gafodd yn 1947 a'r ddau a gafodd yn y *T.T.* yn 1949 ac yn 1950.

DOUGLAS, I.O.M.,
September 3, 1946

HOW many, one wonders, of the 9- competitors, hundreds of officials and thousands of spectators who so eagerly awaited 11 a.m. in the Isle of Man to-day, remembered that on this day, and at this hour, seven years ago, Britain went to war with Hitler?

Unfortunately, as zero hour approaches for the start of the 1946 combined Junior and Lightweight Manx Grand Prix Race, it becomes more and more obvious that it will be touch and go if this event is held at all to-day!

Although beautiful weather favoured the Island yesterday, a falling barometer told the truth and, after a wicked night-time storm, we awoke this morning to find the streets drenched, the bay whipped with "white horses," and every prospect of a miserable day.

Anxious glances at the heavy clouds brought little hope, and at 10.30 a.m., at the Stands, it was raining heavily. T- make matters worse, a biting wind wa- whipping in from the sea.

The Stewards Decide

As the fingers of the official clock drew nearer 11 the Stewards emerged from thei- worried huddle and the announcement w- made that advantage was to be taken ‹ the rule which allows a race to be pos- poned—but not later than 2.30 p.m. Th- Stewards said that they would put out hal- hourly bulletins, and spectators wer- advised to stay put, as a weather forecast from the airfield at Castletown predicted a break.

Travelling Marshal Bertie Rowell was despatched to make a tour of the course. On his return he reported pretty bad conditions almost everywhere, but said that the crowds were keeping up good spirits.

It is now 12.30, and the loud-speaker says that the race will definitely start at 1 p.m. This is an anxious, nervous time for riders. There is much wiping of goggles and settling of helmets. Some chew gum; others wander about and chat; some just sit quietly on their bikes and stare thoughtfully towards Bray Hill.

Graham Walker's voice comes over the address system. As an old hand at this game, he speaks a few words of advice, especially to the newcomers. He reminds them of the danger of a too sudden approach to Quarter Bridge on the first lap, and of the inadvisability of trying to "tail" a faster man, who may leave his braking late.

The 1946 Manx Grand Prix races were run in rain and fog and so no records were established.

Grim Conditions

As described in the Junior report conditions were somewhat grim, and when the riders arrived at the start at 12.30 p.m. a gusty wind was blowing across from the sea—not exactly a welcome proposition for the riders of small-capacity machines.

CYMRO MEWN RAS FAWR

Daeth R. J. Edwards, Llanuwchllyn, yn bedwerydd yn y ras i feic-fodurwyr, y Manx Grand Prix. Yr oedd llun Draig Goch ar ei helm. Y mae Mr. Edwards yn Genedlaetholwr brwd.

Fawr
Medi 11. 1946

There is no "lone square" this time — the riders are lined up in two rows, the even numbers on one side the odd on the other, so that Weston is not alone as he has G. H. Morgan (New Imp.) alongside him.

BALA RIDER
FOURTH IN LIGHTWEIGHT RACE

In the Lightweight Race at the Isle of Man held yesterday (Tuesday) R. J. Edwards, of Hendre Mawr, Llanuwchllyn, near Bala gained fourth place, being only a few seconds behind the leaders.

Forecasting in the Isle of Man "Examiner" special Grand Prix edition on Saturday, Barney Craig stated that 60% of the riders in the Lightweight class could be eilminated due to inexperience, faulty machines etc., but among the ones he considered to be above the average, he refered to R. J. Edwards, the local rider as being "outstanding"

In the practice laps on Thursday 'R. J.' recorded the fastest average speed of 35m 23s (63.99mph) in the Lightweight class. He was clocked at 81.8mph on the stretch preceeding Sulby Bridge (nearest approach to a straight mile). His lap times for Thursday were as follows: 37.32; 35.23. He is riding a C.T.S.

Robin yn Creg-ny-Baa

Robin ym mhont Braddan

1947

Hon oedd y ras fwyaf erioed i gael ei chynnal ar gwrs Ynys Manaw. Roedd 158 ar y cwrs ar yr un adeg gan fod y *Junior Manx Grand Prix* a'r *Lightweight Manx Grand Prix* yn cael eu rhedeg gyda'i gilydd. Rhif rasio Robin oedd 156, ond nid oedd hynny'n golygu llawer gan mai yn ôl yr amser yr enillir y ras nid yn ôl safle, ac yn y bôn, ras yn erbyn y cloc yw hi. Y flwyddyn honno, gorffennodd yn chweched yn y *Lightweight*.

Tywydd gwael iawn a gafwyd ar y diwrnod, roedd gwynt cryf iawn ar y mynydd, ac ar adegau ni ellid gweld ymhellach na 30 llath.

Ar ddiwedd y drydedd lap, daeth Robin i mewn i'r *pits* i nôl petrol a chafodd fraw pan fu bron i'r *C.T.S.* wrthod aildanio. Ond am unwaith, yr oedd y lwc gydag ef; taniodd y peiriant ac i ffwrdd ag ef i ailymuno â'r ras.

Erbyn y bumed lap yr oedd Robin wedi codi i'r chweched safle, ac yno y bu hyd y diwedd.

Ei amser dros y ras i gyd (ras 226 milltir — 6 lap o'r cwrs) oedd 3 awr 27 munud 35 eiliad, cyfartaledd o 65.5 milltir yr awr, gwelliant o 9 munud ar yr amser a gymerodd yn 1946. Petai ei feic yn un newydd, yna does fawr o amheuaeth y byddai wedi gorffen yn y tri cyntaf. Dyma'r adroddiad a ymddangosodd yn *Y Ddraig Goch*:

Robin ar y cwrs

TUESDAY'S LIGHTWEIGHT

FULL REPORT OF THE "250" RACE

By J. C. CLAGUE

The Start, Tuesday.

After all these years—and after all this weather—we're all back again once more!

To-day's Lightweight is the 110th motorcycle race to be held on the Island, and the 104th over the T.T. course, being the 24th of the Manx Grand Prix series.

Forty-one entries were received and there will be 35 starters, most of them newcomers to Island racing—and there is not a previous winner among them! F. J. Hudson (O.K. Supreme) is the only previous place man, having ridden into third position in 1936, which was his only road racing appearance.

Among the likely lads to-day are Ben Drinkwater (Excelsior) sixth in 1938. R. J. Edwards (C.T.S.) from the unpronounceable place in North Wales, seventh in 1935.

Horne takes second place with 36-1, and B. Holden (C.T.S.) and W. Reeve (Excelsior) tie with 36-5, but R. J. Edwards (C.T.S.) laps in 34-28, having passed Mavrogordato, who has been held up on the Mountain section.

FIRST LAP LEADERS

	m. s.
1. B. Drinkwater (Excelsior)	34 14
D. G. Crossley (Excelsior)	34 14
Speed: 66.15 m.p.h.	
2. R. J. Edwards (C.T.S.)	34 28
66.02 m.p.h.	
3. A. G. Horne (Rudge)	36 1
62.87 m.p.h.	
4. L. W. Parsons (Rudge)	36 2
62.84 m.p.h.	
5. B. Holden (C.T.S.)	36 5
W. Reeve (Excelsior)	36 5
62.75 m.p.h.	

Drinkwater's second lap was 33-55, nearly three minutes outside Parkinson's record, but best this year so far. Holden improved with 34-57, but Horne was slowing up. Parsons clocked 34-17, and Edwards did 34-41, which brought him into second place, one minute behind Drinkwater. Edwards was now 70 seconds ahead of Parsons.

Twenty-seven men had gone on the third lap as Drinkwater sped up to the Bungalow with the fourth lap in sight.

SECOND LAP LEADERS

	h. m. s.
1. B. Drinkwater (Excelsior)	1 8 9
Speed: 66.45 m.p.h.	
2. R. J. Edwards (C.T.S.)...	1 9 9
65.49 m.p.h.	
3. L. W. Parsons (Rudge)...	1 10 19
64.49 m.p.h.	
4. W. Reeve (Excelsior) ...	1 10 58
63.81 m.p.h.	
5. B. Holden (C.T.S.)	1 11 2
63.75 m.p.h.	
6. R. J. A. Petty (New Imp.)	1 12 0
62.8 m.p.h.	

Drinkwater disappears down Bray Hill to start his third lap as Crossley reaches Ramsey and has a spill in Parliament Square, but continues after effecting repairs. Edwards passes him, and reaches the mountain in close company with Parsons. Crossley's front brake cable is causing him trouble.

Drinkwater completed the half-way stage at 2-45 p.m., and comes in to replenish—and it takes him two minutes exactly!

At this time Parsons, Edwards and Reeve are approaching the Creg. Meanwhile, the announcement that Whittingham has retired at the pits. He came off at Governor's Bridge and damaged his machine slightly, and cut his right hand.

Drinkwater's third lap is 34-10. Parsons leads Reeve and Edwards in to end the third circuit and all three were filling up at the pits simultaneously! Parsons is first away after a 90 seconds stop followed by Reeve, but Edwards is held up with a reluctant motor.

Crossley, now making a great effort to fight back comes in and fills up in 87 seconds. Parsons' lap time is 33.56, and Reeve clocks 34-49. Edward's time is 34-45, so that he is now only 95 seconds behind Drinkwater, with Parsons 21 seconds further back.

THIRD LAP LEADERS

	h. m. s.
1. B. Drinkwater (Excelsior)	1 42 19
Speed: 66.39 m.p.h.	
2. R. J. Edwards (C.T.S.) ...	1 43 54
65.38 m.p.h.	
3. L. W. Parsons (Rudge) ...	1 44 15
65.16 m.p.h.	
4. W. Reeve (Excelsior)......	1 45 47
65.03 m.p.h.	
5. B. Holden (C.T.S.)	1 45 49
64.22 m.p.h.	
6. R. J. A. Petty (New Imp.)	1 47 9
63.4 m.p.h.	

Drinkwater begins his fifth lap at 3-21 p.m., having gone round including replenishment in 36-43. Edwards and Parsons are cracking on, but Reeve's clock is stuck at "K" and the leader has lapped him.

At last news of Hudson. He came off at Greeba Bridge on the first lap—and the M.O. tells him "No more to-day."

Parsons, with a lap in 35-31 brings himself 44 seconds behind Drinkwater, and pips Edwards for second place, the Welshman taking 36-59 for the fill-up lap.

Holden has been held up on the mountain in the Bungalow district and with him and Reeve out of the running Petty comes into third place with Simpson next.

The battle thus develops between Drinkwater and Parsons, with Edwards lying handy. The length of the mountain climb separates the first two on the road, and Edwards is hot on Parsons' tail. Petty, Simpson and Brett are now making up the leader board, but there is nearly 11 minutes between first and sixth!

News of Reeve: he has retired at Ballaugh Bridge and is O.K.

FOURTH LAP LEADERS

	h. m. s.
1. B. Drinkwater (Excelsior)	2 19 2
Speed: 65.16 m.p.h.	
2. L. W. Parsons (Rudge)...	2 19 46
64.8 m.p.h.	
3. R. J. Edwards (C.T.S.)...	2 20 53
64.29 m.p.h.	
4. R. J. A. Petty (New Imp.)	2 22 6
63.73 m.p.h.	
5. R. S. Simpson (Excelsior)	2 25 11
62.39 m.p.h.	
6. J. Brett (Excelsior)	2 29 42
60.50 m.p.h.	

Here's news! Parsons comes in to clock 34 mins. 22 secs., against Drinkwater's 35 mins. 26 secs., and the former goes into the lead with a half minute advantage.

Petty laps in 38 mins. 46 secs., but Edwards beats him to third place with 36 mins. 26 secs., although he is now 3½ minutes behind Parsons.

Drinkwater finishes at 4-30, and has to be content to watch Parson's progress before he can know the result.

A. E. Shaw (Excelsior) has come off at the Goose Neck and broken his gear-lever.

FIFTH LAP LEADERS

	h. m. s.
1—L. W. Parsons (Rudge)	2 53 58
(Speed, 65.08 m.p.h.).	
2—B. Drinkwater (Excel.)	2 54 28
(Speed, 64.89 m.p.h.).	
3—R. J. Edwards (C.T.S.)...	2 57 19
(Speed, 63.85 m.p.h.).	
4—R. S. Simpson (Excel.)...	3 0 14
(Speed, 62.82 m.p.h.).	
5—R. J. Petty (New Imp.)	3 0 52
(Speed, 62.60 m.p.h.).	
6—J. Brett (Excelsior)	3 4 35
(Speed, 61.34 m.p.h.)	

LIGHTWEIGHT RESULT

	h. m. s.
1—L. W. Parsons (Rudge)	**3 28 39**
(Speed, 65.11 m.p.h.).	
2—B. Drinkwater (Excel.)	**3 29 7**
(Speed, 64.96 m.p.h.)	
3—R. S. Simpson (Excel.)...	**3 36 16**
(Speed, 62.82 m.p.h.)	
4—R. J. Edwards (C.T.S.)...	**3 36 59**
(Speed, 62.61 m.p.h.)	
5—R. J. A. Petty (N. Imp.)	**3 37 48**
(Speed, 62.38 m.p.h.)	
6—J. Brett (Excelsior)	**3 40 31**
(Speed, 61.60 m.p.h.)	
7—J. W. Moore (Excel.) ...	**3 49 49**
8—D. G. Crossley (Excel.)	**3 50 11**
9—P. H. Hylton (Rudge)...	**3 53 2**
10—T. R. Sheard (Cotton)	**3 56 23**
11—G. H. Morgan (N. Imp.)	**3 56 39**
12—J. L. Paterson (N. I.)...	**3 58 2**
13—A.R. Brassington (Exl.)	**3 58 4**
14—P. H. Weston (Rudge)...	**4 3 3**
15—D. St. J. Beasley (Exl.)	**4 4 24**
16—W. M. Webster (Excel.)	**4 4 33**
17—F. Wastell (Excelsior)	**4 12 14**
18—G. T. Machan (Cotton)	**4 18 53**

First six receive Replicas

HEB GOLLI AMSER

Daeth Mr. R. J. Edwards, Llanuwchllyn, yn chweched yn Adran Ysgafn y Manx Grand Prix y dydd o'r blaen. Adwaenir ef yn y Blaid fel yr un a oedd yn bennaf cyfrifol am wneuthur Cangen Llanuwchllyn yn Gangen gref, ac fel un a drefnodd lawer parti i gynnal nosweithiau llawen ledled Cymru. Yn Ynys Manaw, fe'i hadwaenir fel "Y Cymro," canys y mae Draig Goch ar ei helmet wen ac un arall ar gefn ei got ledr.

250cc. C.T.S. oedd ei feic—a hwnnw'n ddeuddeg oed! Hyd y ras oedd 226 o filltiroedd; cyfartaledd spid R.J. oedd 65.449 milltir yr awr. Dyma fo, ar Drofa Lem Ramsey.

1947.

An impressive action picture, taken at Ramsey Hairpin on Tuesday last of R. J. Edwards, Llanuwchllyn, who finished sixth in this years' Lightweight Manx Grand Prix in the Isle of Man, over the world famous T.T. Course, gaining a Silver Replica. His time for the 226 mile race was 3 hrs 27 mins 35 secs., an average of 65.449 m.p.h. It is worth recording that R. J. Edwards' time was an improvement on his 1946 effort to the extent of over 9 mins and a commendable feat, bearing in mind that his machine a 250cc C.T.S. was a 1935 model. Had he ridden a more modern and speedier machine he would undoubtedly have finished in the first three. Conditions for racing were far from being ideal, as a strong cross wind approaching gale force prevailed on the mountain section of the Course and visibility at times was reduced to only 30 yards.

Douglas, Tuesday, August 31st

ALTHOUGH the Island was cloaked in thick fog, 125 riders turned out for practice this morning—a figure not much smaller than yesterday's. Roads were wet and there was a stiffish wind. Visibility was especially poor on the mountain; and even Ramsey was fog-bound. Delayed until 6.40 a.m., practice consisted of only one lap, which 116 riders completed. In spite of the weather conditions, D. G. Crossley, whose home is on the Island, lapped the course at 61.01 m.p.h. on his Junior Velocette. In doing this, he beat all the Senior men, of whom, at 59.07 m.p.h. on a Norton, R. Lee was the fastest. Best Lightweight time was made by R. J. Edwards (C.T.S.).

Stationed at the right-handed sweep of Hillberry when the telephone announced that the first man was away, one could see scarcely farther than 100 yards. Surely no rider would appear for at least 40 minutes? Little more than

half an hour went by, however, before a racing engine was heard in the fog's depths. Down past Brandish Corner came the sound; then suddenly a machine burst through the white-paper-hoop of fog. The yellow number plate proclaimed the coming of C. F. Salt, once more out on his Senior Norton. He and all the riders were of necessity much slower than usual at Hillberry, some even letting their engines get "off" the megaphone. About four minutes after Salt, W. A. C. McCandless (Senior Norton) and J. D. Daniels (Junior Velocette) swept round in close company. Parkinson, riding steadily, was out again on the Senior Beart Norton. (Beart, incidentally, goes to the paddock at the end of practice and rides the machine back to his depot.) Among other riders who appeared particularly neat at Hillberry were R. J. Edwards (Lightweight C.T.S.), R. W. Marsh (Lightweight Excelsior), H. Clark (Junior Velocette) and W. J. Netherwood (Junior A.J.S.)

LIGHTWEIGHT

R. J. Edwards (C.T.S.)	41	34	54.47
P. D. Gill (Excelsior)	41	47	54.19
R. W. Marsh (Excelsior)	44	50	50.51
F. Fletcher (Excelsior)	45	9	50.15
D. J. H. Glover (Rudge)	45	29	49.78
D. Whelan (Rudge)	45	37	49.64

J. Spillane (New Imperial), the Union Mills engineer, went round in 48 mins. 35 secs. in the Lightweight class, which was led by one of the favourites for the Trophy R. J. Edwards (C.T.S.), in 41 mins. 34 secs., at 54.47 m.p.h. P. D. Gill (Excelsior) was 13 seconds slower, and R. W. Marsh (Excelsior) was third in 44-50.

In the Lightweight race, R. J. Edwards, the Welshman from the "unpronounceable" place Llanuwchllyn, and Ben Higginbottom, from Blackpool, who finished 6th and 7th in last year's race, are once again concentrating on the 250 affair, and with the previous place men being absent, it looks like a C.T.S. battle between these two.

Wednesday, September 3rd.

THE weather for practice this morning, unlike that for the Monday and Tuesday practising (described in last week's issue) deteriorated somewhat. It was still dry, but even the breeze blowing in from the sea failed to dispel the mist from the Mountain. For an hour after practice started, visibility from the Guthrie Memorial almost to the Bungalow was less than 50 yards, and there were patches

Parkinson was missing from the turn-out of 104 riders. J. D. Daniels (Triumph) and W. A. C. McCandless (Norton) tore round the course to place themselves respectively at the top of the Senior and Junior lap times list. R. J. Edwards (C.T.S.) headed the Lightweights. By annexing fourth place among the Juniors, G. E. Duke became a subject of conversation at breakfast.

LIGHTWEIGHT

R. J. Edwards (C.T.S.)	35	43	63.40
J. Spillane (New Imperial) ..	36	40	61.75
D. Whelan (Rudge)	37	16	60.76
F. Fletcher (Excelsior)	38	12	59.28
R. W. Marsh (Excelsior)	38	44	58.46
J. Downing (Velocette) ..	39	50	56.85

Senior Norton out of action at Ramsey.

Sulby was the scene of valve trouble for F. Purslow (Junior B.S.A.) and a broken chain for R. J. Edwards (Lightweight C.T.S.). At Sulby Bridge, the engine of Frank Cope's Lightweight "Boys'" A.J.S. seized. T. G. Wilson (Senior Norton) had a puncture at Kirkmichael, and at Glen Helen, T. Duerden (Senior Norton) suffered from a leaking petrol tank.

To-day's practice period was, indeed, notable for the large crop of mechanical troubles.

On Thursd... [illegible] third through the Mountain murk. Heath, with his experience and bearing in mind Saturday's extra-fast lap, might well win if anything goes wrong with McCandless. Daniels is somewhat wild on the bends still. Showing good practice times, Crossley is a local man who should be well up. Several others, of course, might spring surprises.

The Lightweight Race is just about as unpredictable, but probably a good tip is Dale, on Austin Munks' fast Guzzi as winner, with Edwards second and Fletcher third. Marsh, Glover, Barrett and Whelan should be others well in the running.

Douglas, Saturday, September 4th.

PRIORITY in starting order this morning was given to those who had not yet qualified. Roads were dry on some parts of the course—notably at Hillberry

and the Glencrutchery Road—and wet on others. Great dark clouds hung over the mountain, where visibility was very poor from the Guthrie Memorial to the 33rd Milestone. In fact, the mist between these points was said to be thicker than on Thursday afternoon.

Of the 133 riders out, Phil Heath (Norton) put up the best Senior speed at 77.54 m.p.h. This was 5.12 m.p.h. faster than the next man, Denis Parkinson (Norton). C. F. Salt (Velocette) and R. W. Marsh (Excelsior) made respectively best times in the Junior and Lightweight.

LIGHTWEIGHT

R. W. Marsh (Excelsior)	37	12	1	60.68
F. Fletcher (Excelsior)	37	15		
R. J. Edwards (C.T.S.)	38	48	2	58.36
D. Whelan (Rudge)	39	0	3	58.06
D. J. H. Glover (Rudge)	39	1	4	58.04
W. Clark (Excelsior)	39	31	5	57.30

1948

Dyma'r tro olaf iddo gystadlu yn y *Manx Grand Prix*. Tywydd gwael iawn oedd ar gyfer yr ymarfer, niwl trwchus ar y mynydd, y ffyrdd yn wlyb, a gwynt gweddol gryf yn chwythu. Yr amser gorau yn yr ymarfer hwnnw yn nosbarth y *Lightweight* oedd un Robin, mewn 41 munud 34 eiliad (54.47 milltir yr awr). Unwaith eto, fel yn y blynyddoedd cynt, roedd y tywydd yn dileu y manteision a oedd gan y beiciau eraill dros y *C.T.S.*, ac felly yn dangos gwir allu Robin fel reidar.

Ar ail ddiwrnod yr ymarfer, torrodd tsiaen y *C.T.S.* yn Sulby. Ar drydydd diwrnod yr ymarfer (Medi 3ydd) roedd y niwl yn dew unwaith eto, ac am yr eildro, daeth Robin ar ben y rhestr, gan gwblhau'r cwrs mewn 35 munud 43 eiliad (63.4 milltir yr awr).

Rhagwelai'r papurau lleol a'r *Motor Cycle* y byddai Robin yn gorffen yn y tri cyntaf. Roedd 33 reidar yn y ras a disgrifiwyd cychwyniad Robin fel:

> *A patch of extra colour marks the getaway of R.J. Edwards (C.T.S.) resplendent in his scarlet leathers.*

Yn ôl pob tebyg, ef oedd y cyntaf, neu ymysg y cyntaf i wisgo lledrau coch mewn ras, gan mai'r lliwiau arferol oedd du neu frown.

Ar ôl y lap gyntaf, roedd Robin yn gydradd drydydd, ac yn drydydd ar ei ben ei hun ar ddiwedd yr ail lap. Yn anffodus, bu'n rhaid iddo roi'r gorau iddi ddwy filltir i fyny'r mynydd gan fod y tanc olew yn sych. Ar y pryd, yr oedd yn yr ail safle.

The Lightweight Race

FIRST man away as the maroon thunders is F. O. Coleman (Excelsior). E. A. Barrett riding Tommy Wood's Guzzi is No. 4. None of the 33 riders has any difficulty in starting, except perhaps C. F. Ra[illegible]ie (Excelsior), whose engine is momentarily recalcitrant. No. 27, R. H. Dale on Austin Munk's Guzzi, makes a particularly stylish start. A patch of extra colour marks the getaway of R. J. Edwards (C.T.S.), resplendent in his scarlet leathers.

(Excelsior) and T. Clegg (C.T.S.) creep up on to the leader board. R. J. Edwards (C.T.S.) gains a place over P. D. Gill (Excelsior).

Robin ar y cwrs

Robin cyn y ras

Yr oedd Robin wedi cael benthyg beic Eric Stevens, Wrecsam, *Norton International 350 c.c.* er mwyn cystadlu yn y *Junior Manx*. Er bod llun ohono yn barod i fynd, nid oes hanes iddo gystadlu yn y ras ei hun. (Mae sôn iddo gystadlu yn y *Senior Manx* ym 1946 ar y *Norton* mawr ond iddo orfod rhoi'r gorau iddi yn ystod y ras, ond methais â chanfod mwy na hynny.) Roedd yn rhaid dod â'r *Norton* adref o Ynys Manaw ac fe adawyd y beic ar y cei yn Douglas i'w roi ar y cwch. Fe gyrhaeddodd y beic Lerpwl yn saff, ac fe ddaeth yn ôl ar y trên o Birkenhead i'r Bala ac aeth Robin i'w nôl o stesion y Bala.

1948 Junior Manx Grand Prix
Robin a'r Norton International 350 c.c.

Blynyddoedd y *T.T.*

1949

Wedi cystadlu cyhyd yn y *Manx Grand Prix* fe benderfynodd Robin droi'n broffesiynol yn 1949 a cheisio gwneud bywoliaeth wrth rasio motobeics. Teimlai ei bod hi'n anodd dibynnu ar fusnes gwerthu ceir ail-law, ac y deuai arian i mewn petai llwyddiant yn dod i'w ran. Y term crand yn y cyfnod hwnnw am droi'n broffesiynol oedd troi'n *'International'*. O ganlyniad i'r penderfyniad i droi'n broffesiynol ni châi gystadlu yn y *Manx* mwyach.

Roedd y tywydd yn berffaith ar gyfer rasio. Ar ôl yr ymarfer cyntaf, roedd Robin yn bedwerydd yn nhrefn cyflymdra, gydag amser o 33 munud 26 eiliad (62.32 milltir yr awr ar gyfartaledd). Gan fod yr un *C.T.S.* gan Robin, a chan mai *massed start* oedd cychwyn y ras, roedd hi'n bwysig fod Robin yn cael amser da wrth ymarfer i sicrhau safle gweddol agos i flaen y grid cychwyn.

Amserwyd ef dros dair milltir i fyny'r mynydd o garreg filltir '27' hyd at garreg filltir '30'. Dim ond un tro gwael sydd ar y rhan yma sef y *Mountain Box*. Roedd Robin y pedwerydd yn nhrefn cyflymdra gyda chyfartaledd o 76 milltir yr awr. Yn ystod y ras, mesurwyd cyflymdra Robin ar gyfartaledd dros filltir Sulby yn 87.8 milltir yr awr.

Tri beic oedd yn nhîm Chris Tattersall, sef Robin, L.G. Martin a Chris Tattersall ei hun. Wrth wrando ar Jac Lloyd yn adrodd hanes y noson cyn y ras, mae'n werth cofio mai dim ond Robin ddaru gwblhau'r cwrs allan o'r tri yn y tîm, a hynny wrth orffen yn nawfed ar hen feic a adeiladwyd yn 1933.

Pan oedd Robin yn fachgen ysgol, ei hoff reidar oedd C.W.H. (Paddy) Johnson a oedd yr adeg honno yn reidio *Cotton*. Freuddwydiodd Robin erioed y byddai ef ei hun, rhyw wyth mlynedd yn ddiweddarach, yn rasio ar Ynys Manaw am y tro cyntaf, a hynny ar gefn *Cotton*, ac yn sicr yr oedd y tu hwnt i'w freuddwydion mai'r Gwyddel enwog yma a fyddai'n ei helpu yn y pits, pan oedd yntau'n reidio'r union feic a reidiwyd gan Johnson i orffen yn 8fed yn y *T.T.* yn 1947. (Ni châi Robin ei reidio yn y ras honno yn 1947 gan nad oedd wedi troi'n broffesiynol.)

Dyma'r hyn a gofia Jac Lloyd:

> Roedd y wraig a minnau (cyn inni briodi) wedi mynd drosodd i Ynys Manaw i weld y *T.T.* a Robin yn reidio, wrth reswm, a fo oedd bob peth i ni o Benllyn. Wel, un noson, roedd Rhiannon a minnau'n cerdded ar hyd y prom yn Douglas. Pwy welais yn dod, â pharsel dan ei gesail ond R.J. Roedd hi'n tynnu mlaen o ran amser, roedd hi tua naw o'r gloch adeg hynny, dwi'n siŵr.
>
> 'Wyt ti'n brysur heno 'ma Jac?' holodd Robin.
>
> 'Na, be ti'n feddwl?' meddwn.
>
> 'O, meddwl 'sa ti'n dod i helpu i roi'r hen feic wrth ei gilydd,' medde fo, 'dwi wedi malu'r gêrbocs yn y practis a dwi di bod yn nôl un rŵan, oeddan nhw'n fflio un o Blackpool, a dwi isio i roi o'n ôl, ac mae 'na dipyn o waith.'
>
> Roeddwn i wrth fy modd, beth bynnag, Dyma gael swper ac i fyny i 'stabal' (dyna oeddan nhw'n galw'r garej) Chris Tattersall. Roedd Chris yn amheus iawn ohona' i, achos nid pawb oedd yn cael mynd i mewn i'r stablau; roedden nhw'n cadw golwg fanwl ar y beics·rhag i neb nad oeddan nhw'n eu 'nabod fynd i mewn, ac roedd Chris yr un fath achos roedd 'na bedwar o feics yno, doedd.
>
> Wel, beth bynnag, roedd Chris yn flin efo Robin ac yn ei holi lle oedd o 'di bod, achos roedd yn rhaid i'r beic fod yn barod ar gyfer y *weigh-in* am 10.30 bore wedyn. Mi fues i'n gweithio ar y beic efo Robin ac mi gaethom ni o at ei gilydd ar ôl gweithio drwy'r nos. Mi es adref i nôl brecwast wedyn.
>
> Dod yn ôl ar ôl brecwast, a mynd efo fo ar gefn y beic, i roi *test* ar y beic ar y 'filltir fynydd'. Cofiwch nad oedd yna ddim piliwn arno, a Robin yn mynd fel cythgam, a minnau ofn ar y

cefn, wedyn ychydig o ymarfer ar y mynydd. Beth bynnag, roedd Robin wedi cael *extension* i'r *weigh-in* tan hanner awr wedi pedwar y prynhawn hwnnw, a'r ras y diwrnod wedyn.

THURSDAY EVENI

THE START

Thursday evening

The "twenty-six" was beaten for the first time in this year's practising. Artie Bell returning 25 mins. 52 secs. (87.54 m.p.h.) and Les Graham, [illegible] (87.14) on their [illegible] Frend (A.J.S.) lapped in 26.10 (86.5[illegible]) [illegible] Senior to be placed third in that class.

Conditions were perfect and speeds were high all round.

Graham was also out on his Junior A.J.S., leading the list with a lap of 27.17 (82.99 m.p.h.) and, along with Ernie Lyons (Velocette)

Look out for next week's T.T. Specials, to be published immediately after each day's racing — Monday, Wednesday, and Friday.

27.22 (82.74), beat the fastest lap made in last year's Junior race—27.28. W. Doran lapped in 27.38 (81.94) on his Junior A.J.S. and Artie Bell went round in 27.42 on his Junior Norton.

Three of the Lightweights beat the fastest lap in last year's race—Enrico Lorenzetti (Guzzi) 29.11 (77.56 m.p.h.); T. L. Wood (Guzzi) 29.16 (77.37) and D. Ambrosini (Benelli) 29.23 (77.06).

There was one casualty—Max [illegible] coming off his Junior Velocette at the Gooseneck on his second time round. He fractured his left wrist and had lacerations on the face.

There was a record turnout of 132 riders, and 296 laps were completed.

FASTEST
LIGHTWEIGHTS

	W. M. Webster (Moto Guzzi)			35.0
	M. Barrington (Moto Guzzi)			34.41
4	S. Sorensen (Excelsior)		31.52	31.45
3	D. Ambrosini (Benelli)	30. 0	29.23	30.13
6	R. Edwards (C.T.S.)		33.26	62.32
5	W. H. S. Pike (Rudge)			33. 6
2	T. L. Wood (Guzzi)		29.16	29.55
	L. Bayliss (Ellbee)		33.35	33.27
1	E. Lorenzetti (Guzzi)		30. 7	29.11
	D. W. Harrowell (L.E.F.)			40. 4
	R. Mead (Mead N'tn)		33.43	33.54
	C. Tattersall (C.T.S.)			77.38
	J. McCredie (Excelsior)		37.34	33.50

Thursday, p.m.

This evening we timed riders over the fast 3-mile, up-hill stretch from the 27th to the 30th milestone. There is only one bad bend on this section—at the Mountain Box—and some very high speeds were recorded in perfect weather conditions. Times were taken on the first lap.

The following are the leading speeds in each class:—

LIGHTWEIGHT

E. Lorenzetti (Guzzi)	87.0
D. Ambrosini (Benelli)	84.9
R. A. Mead (Mead-Norton)	76.6
R. Edwards (C.T.S.)	76.0
L. Bayliss (Elbee Special)	76.0
L. R. Higgins (Velocette)	75.6
J. McCredie (Excelsior)	75.0
D. St. J. Beasley (Excelsior)	74.4
H. Kirby (Excelsior)	72.9
R. J. Petty (New Imperial)	72.6
W. N. Webb (Excelsior)	70.6

June 4

NEWSLETTER, SATURDAY

Speeds At Sulby

Friday Evening

This evening we timed riders over the famous Sulby Mile. Except for a few minutes of light rain, the weather was generally good, although there was a strong cross wind.

Fastest Senior was Artie Bell (Norton) at 117.7 m.p.h., with Johnnie Lockett clocking 116.1. No Porcupines were out, all their riders "having a rest" on their "Boys' Racers," on which they collected the first three places in the Junior class, with Les Graham leading at 109.1 m.p.h. In the Lightweight class, Lorenzetti on a Guzzi, with a speed of 104.3 m.p.h., was over 10 m.p.h. faster than the next best, Ambrosini (Benelli).

Last year's best speeds were:—Senior—Bell (Norton) 109.8; Junior—Bills (Velocette) 100; Lightweight—Mead (New Imp.) 88.3.

10 FASTEST

No	LIGHTWEIGHTS	M.P.H	
87.	E. Lorenzetti (Guzzi)	104.3	Italy
77.	G. Ambrosini (Benelli)	93.6	Italy
76.	S. A. Sorensen (Excel)	88.9	Denmark
78.	R. Edwards (C.T.S.)	87.8	Wales
89.	R. Mead (Mead N'ton)	87.8	England
92.	J. McCredie (Excelsior)	85.7	Scotland
84.	L. Bayliss (Ellbee Spec.)	83.7	England
95.	H. Kirby (Excelsior)	82.7	do
97.	D. St. Beasley (Excel.)	82.7	do
101.	W. N. Webb (Excelsior)	77.5	do.

LIGHTWEIGHT TOURIST TROPHY RACE

LIST OF ENTRIES

(In alphabetical order of make).

The numbers in brackets are the current Competition Licence Numbers of Entrants and Drivers.

Racing No.	Entrant.	Driver.
	2.48 BENELLI—1 cyl.	
72	L. Martin	Entrant
7[illegible]	D. Ambrosini (25 F.M.I.)	Entrant
	2.49 C.T.S.—1 cyl. 62.5 × 81.	
78.	C.T.S. Motors Ltd. (49/E.635)	R. Edwards (49/2197)
[illegible]	C.T.S. Motors Ltd. (49/E.635)	L. G. Martin (49/1642)
[illegible]	C.T.S. Motors Ltd. (49/E.635)	C. Tattersall (49/1328)

Dyma fel y cyflwynwyd Robin i'r byd yn y *T.T. Who's Who*:

R. J. EDWARDS

Mount—Lightweight—C.T.S.

Age 37, a motor dealer, of Llanuwchllyn, Merionethshire. Has never ridden in a trial, being interested in road racing only, and has competed in the M.G.P. from 1934 to 1948.

In last year's Lightweight Manx, he was bracketed third at the end of the second lap, but then had to retire. Has been on the leader board of every race he has ridden in, at one time or another.

He is entered in the Lightweight by C.T.S. Motors Ltd., of St. Anne's on Sea.

Ar ôl cychwyn yn dda, daeth Robin o gwmpas y gornel gyntaf (Quarter Bridge) yn seithfed, safle yr oedd yn dal ynddo yn Ramsey (ar ôl 23 milltir), yr ail gyfuniad o feic a reidar Prydeinig gan fod pob un reidar arall ar gefn peiriannau Eidalaidd. Er bod ei feic yn hen, ac o dan ambell anfantais o'i gymharu â'r beiciau eraill, gorffennodd yn nawfed, a oedd yn wyrthiol. I brofi nad ffliwc oedd hyn, fe wnaeth yr un peth y flwyddyn ddilynol.

Robin yn powlio'r C.T.S. i'w rasio

Robin ar y cwrs
(Robin yw rhif 78)

Yn y noson wobrwyo, (a gynhelir yn draddodiadol yn y Villa Marina, Douglas) roedd yna hwyl anghyffredin. Yn ôl yr arfer, roedd miloedd wedi tyrru i'r Villa Marina i weld y seremoni. Am naw o'r gloch y cyflwynwyd y tlysau. Pan ddaeth hi'n dro i Robin gael ei wobrwyo, cyflwynwyd ef fel y gŵr '*from an unpronouncable place in North Wales*'.

'Llanuwchllyn,' gwaeddodd y criw o Gymry a oedd yn y gynulleidfa. A phan dderbyniodd y tlws, torrodd y Cymry allan i ganu 'Hen Wlad fy Nhadau', gan stopio'r gweithgareddau a gorfodi pawb i aros a gwrando hyd nes yr oedd yr anthem wedi ei chanu. Roedd gan y Cymry eu harwr y noson honno.

Ar y llong yn croesi am Lerpwl, roedd Robin yn dangos ei arddyrnau, a rheiny wedi chwyddo oherwydd y straen o ddal beic efo *girder forks* — gwaith caled iawn — ac yn gwneud ei berfformiad yn y ras yn fwy rhyfeddol byth.

Barrington Wins the "250"

Average Speed 77.985

FASTEST LAP BEATS 1938 RECORD

By J. C. CLAGUE

There are 29 starters in the Lightweight race, with 13 makes represented — Excelsior, Guzzi, Benelli, C.T.S., O.K. Supreme, Rudge, Triumph, New Imperial, A.J.S., Velocette and three Specials —Ellbee, Mead-Norton, and L.E.F.

The C.T.S. trio of R. Edwards, L. G Martin and C. Tattersall is the only manufacturer's team, and there are four club teams—Greenock M.C.C. and B.M.C.R.C. "A", "B" and "C".

The Lightweight has a massed-start, as last year, so that this should be the easier race of the two to follow—the leader on the road is the leader in every respect!

In contrast to the crowded road of onlookers for the start of the Senior, the Lightweight demands a wholesale road clearance of officials, and Messrs. Lumby, Latham and the timekeeping staff climb on to the scoreboards to discharge their duty of starting the race.

At Ballacraine, Lorenzetti, Wood, Ambrosini and Barrington are the first arrivals.

Lorenzetti, Wood, Ambrosini, Dale and Barrington are in the front at Michael, and all starters pass the check safely.

The first six at Ramsey are Lorenzetti, Wood, Ambrosini, Barrington, Dale, and Ernie Thomas — five Guzzis and the Benelli.

The next nine are Sorensen, Edwards, W. H. S. Pike, Martin, Hazlehurst, Harrowell, Mead and R. H. Pike.

At Cronk ny Mona, Barrington leads from Wood, Lorenzetti, Dale and Ambrosini, barely 100 yards separating them.

Barrington leads at the end of the lap by about 60 yards from Wood, Lorenzetti and Dale, only about 4 seconds between them.

FINISHING ORDER

1—M. Barrington (Guzzi) 3 23 13.2 (77.985 m.p.h.)
2—T. L. Wood (Guzzi) 3 23 25.8 (77.905 m.p.h.)
3—R. H. Pike (Rudge) 3 37 42.6 (72.794 m.p.h.)

4—R. A. Mead (Mead-N'ton) 3 41 6.6 (71.675 m.p.h.)
5—S. A. Sorensen (Excel.) 3 43 12 (71.004 m.p.h.)
6—E. R. Thomas (Guzzi) 3 44 8.6 (70.70 m.p.h.)

The above qualified for silver replicas.

7—W. H. S. Pike (Rudge) 3 49 25.8 (69.076 m.p.h.)
8—L. Bayliss (Ell'e. Sp.) 3 50 14 (68.835 m.p.h.)
9—R. Edwards (C.T.S.) 3 50 39.6 (68.808 m.p.h.)
10—R. J. Petty (N. Imp.) 3 52 35 (68.139 m.p.h.)
11—H. Hartley (Rudge) 3 52 56 (68.037 m.p.h.)
12—P. Collignon (Guzzi) 3 58 4 (66.56 m.p.h.)
13—J. McCredie (Excel.) 4 2 22.8 (65.385 m.p.h.)

(Above qualified for Bronze Replicas)

9th IN T.T. RACES

Once again we feel congratulations should be extended to Mr. R. J. Edwards (Robin Jack) on his performance in the Isle of Man —where he finished 9th, gaining a Replica and various awards and bonuses, in a field of 29 riders. If only Robin was on a faster machine! As it was he averaged nearly 70 m.p.h. for the 264 mile race. It was feared on Tuesday that owing to mechanical trouble he would be a non-starter, but fortunately one of the Bala contigent went by air to the mainland to collect the necessary spare parts, so everything went according to plan.

RIDERS IN THE LIGHTWEIGHT

72. F. C. HAWKEN .. Excelsior
73. W. M. WEBSTER .. Excelsior
74. M. BARRINGTON Moto-Guzzi
75. R. H. DALE .... Moto-Guzzi
76. S. A. SORENSEN Excelsior
77. G. AMBROSINI .... Benelli
78. R. EDWARDS ...... C.T.S.
79. W. EVANS .... Triumph
80. W. H. S. PIKE ...... Rudge
81. P. COLLIGNON Moto-Guzzi
82. T. L. WOOD .. Moto-Guzzi
83. B. E. KEYS .... A.J.S.
84. L. BAYLISS Ellbee Special
85. L. G. MARTIN ...... C.T.S.
86. R. J. HAZLEHURST O.K. Sup
87. E. LORENZETTI Moto-Guzzi
88. D. W. HARROWELL L.E.F.
89. R. A. MEAD Mead Norton
90. C. TATTERSALL .... C.T.S.
91. A. G. HORNE ...... Rudge
92. J. McCREDIE .... Excelsior
93. H. HARTLEY ...... Rudge
94. R. J. PETTY New Imperial
95. H. KIRBY ...... Excelsior
96. R. H. PIKE .... Rudge
97. D. St. J. BEASLEY Excelsior
99. E. R. THOMAS Moto-Guzzi
100. L. R. HIGGINS .. Velocette
101. W. N. WEBB .... Excelsior

Cyn y *T.T.* yr oedd Robin y llythyrwr wedi mynegi ei deimladau'n ddigon clir ynglŷn â gohirio'r ras a oedd wedi rhoi cymaint o brofiad iddo ar yr Ynys:

LIGHTWEIGHT MANX G.P.

A Celt Eyes the Saxons with Disapproval

I SUPPORT those readers who have expressed their disapproval of the cancellation of the 250 c.c. Manx G.P. As a regular competitor in this class, I was extremely disappointed when I read of the decision. Surely a race which attracts an entry of 46 is worth catering for—and is certainly grand fun for the competitors.

When supercharged German machines started showing their heels to British machines, there came the supercharger ban; and when the Italian Guzzis dominate the Lightweight Manx, the 250 c.c. class disappears. To me there appears to be a close relationship between these two facts and maybe it boils down to—the British can't take it. By British, I mean English, because the Celtic element has never been allowed to count except when England needs the assistance of its suppressed nations. The Celts of Ireland, Wales and Scotland can however, exercise a more balanced opinion and can see the position through a neutral eye. In spite of this neutrality, the Celts in the last Manx rode aged English machines and actually led the rest of them, whereas the Italian machines were ridden by the patriotic English—strange, isn't it?

If the Manx Club does not wish to see a Guzzi win (and maybe it would not), why not be honest and say so by having a new regulation excluding foreign machines, rather than by burying its perfectly live and healthy baby? Doing away with Lightweight Races is certainly the wrong way to develop 250 c.c. machines. Think again, M.M.C.C., and do it quickly!—some of us have our 1949 programme to decide upon.

Llanuwchllyn, N. Wales. R. J. EDWARDS.

1950

Unwaith eto aeth i gystadlu i'r *Lightweight T.T.*, ac unwaith eto fe ddaeth yn nawfed, a hynny ar feic oedd bellach yn ddwy flynedd ar bymtheg oed.

Pan ddaru Robin ddarfod y ras hon, fo oedd yr unig reidar ar gefn motobeic a oedd heb ffram sbring a pheiriant aloi. Er hynny, ef oedd y reidar cyntaf o Ynysoedd Prydain i gyrraedd Ramsey (20 milltir) o'r *massed start* ac roedd yn union y tu ôl i bencampwr y byd — yr Eidalwr Dario Ambrosini, ar feic cyflymaf y byd yn ei ddosbarth — y *Benelli*, ond ni allai gynnal hynny drwy'r ras — roedd yr hen feic yn rhy araf.

The Lightweight

Last year two Guzzis finished fourteen minutes ahead of the **fastest Briton**. Club talk considers that some of our ancient resurrected and home-tuned two-fifties are a little faster. That may be true. But you cannot expect a roadster fettled up in a retailer's workshop—especially an obsolete roadster—to lick special racing machines newly developed by the full resources of a great factory.

This year a Benelli is having a bash at the Guzzi. I *expect* the Guzzi to retain *its* monopoly in this class. We admire the pluck and the skill of those Britons who persevere against such appalling odds. Only a miracle can earn them more than a conceivable third place far astern. They stand about as much chance of victory as a chamois ridden by a ten-year-old boy would have in the Grand National. But cheer up, ye 250 c.c. fans. An epoch of new interest in the little engines is dawning, and some of us may live to see 250 c.c. Norton, A.J.S. and other British racing motor cycles seeking new laurels in this class.

At Quarter Bridge Pike leads, with Bayliss, Wood, D Beasley, D. W. J. Harrowell, Ambrosini, Harold Hartley, Chris Tattersall, R. J. Edwards, Mead and A. G. Horne in pursuit.

Pike has a five second lead at Ballacraine with Tommy Wood next and **Cann is apparently moving very well now as he is shown in the first dozen.**

On the northward run to Michael Wood takes the lead and Maurice Cann speeds through the field to take second place ahead of Ambrosini.

Only R. J. A. Petty (New. Imp.) is in trouble, not yet having reached Ballacraine.

Wood, Cann, Pike, Mead and Ambrosini reach Ramsey in close company, and they reach the mountain with Cann leading!

RESULT

1—D. Ambrosini (B'nelli) 3 22 58
(78.08 m.p.h.)
2—M. Cann (Guzzi).... 3 22 58.2
(78.07 m.p.h.)
3—R. A. Mead (Velo.).. 3 29 38
(75.59 m.p.h.)
4—R. Pike (Pike-Rudge) 3 33 45
(74.14 m.p.h.)

5—L. Bayliss (Ellbee Sp.) 3 41 33
(71.53 m.p.h.)
6—A. W. Jones (Guzzi) 3 42 41.2
(71.19 m.p.h.)

The above receive first-class replicas

7—S. Sorensen (Excel) 3 48 33
(69.34 m.p.h.)
8—E. Cope (Cope-AJS) 3 50 34
(69.73 m.p.h.)
9—R. Edwards (CTS) 3 55 47
(67.21 m.p.h.)
10—W. N. Webb (Excel.) 3 57 0
(66.87 m.p.h.)
11—C. Tattersall (CTS) 4 2 50
(65.26 m.p.h.)

The above receive second-class replicas.

12—R. Geeson (R.E.G.) 4 10 36

Club Team Prize—B.M.
(R. A. Mead, R. H. Pike, M.

R. J. EDWARDS

Age 38, a motor dealer, of Llanuwchllyn, Merionethshire. Has never ridden in a trial, being interested in road racing only, and has competed in the M.G.P. from 1934 to 1948, having ridden Cotton, Excelsior, and C.T.S. machines. In the 1948 Lightweight Manx, when on a C.T.S., he was bracketed third at the end of the second lap, but then had to retire.

He turned "international" in 1949 and rode a C.T.S. in the Lightweight T.T., finishing ninth at 68.81 m.p.h., and gaining a second-class replica. Similarly mounted, he was ninth again in the same event in 1950, this time at 67.21 m.p.h., and also won a second-class replica.

Hobbies: Fly fishing and shooting.

Lightweight Race, 9th June, 1950

Driver	No.	Motorcycle	Lap 1 M. S.	Lap 2 H. M. S.	Lap 3 H. M. S.	Lap 4 H. M. S.	Lap 5 H. M. S.	Lap 6 H. M. S.	Lap 7 H. M. S.	Speed M.P.H.
Ambrosini, D.	96	Benelli	30 50	1 00 31 29 41	1 29 35 29 04	1 58 05 28 30	2 26 40 28 35	2 54 59 28 19	3 22 58 27 59	78·08
Cann, M.	99	Moto-Guzzi	29 50	59 22 29 32	1 28 29 29 07	1 57 28 28 59	2 26 12 28 44	2 54 44 28 32	3 22 58 28 14	78·07
Mead, R. A.	78	Velocette	30 25	59 53 29 28	1 29 36 29 43	1 59 19 29 43	2 30 13 30 54	2 59 50 29 37	3 29 38 29 48	75·60
Pike, R. H.	79	Pike-Rudge	30 01	59 52 29 51	1 30 05 30 13	2 01 21 31 16	2 32 00 30 39	3 02 46 30 46	3 33 45 30 59	74 14
Bayliss, L. J.	82	Ellbee Special	31 48	1 03 17 31 29	1 34 30 31 13	2 06 43 32 13	2 38 11 31 28	3 09 43 31 32	3 41 33 31 50	71·53
Jones, A. W.	101	Moto-Guzzi	32 00	1 03 18 31 18	1 34 35 31 17	2 07 16 32 41	2 38 54 31 38	3 10 36 31 42	3 42 41 32 05	71·11
Sorensen, A.	80	Excelsior	33 04	1 05 50 32 46	1 38 14 32 24	2 11 05 32 51	2 43 19 32 14	3 15 43 32 24	3 48 13 32 30	69·44
Cope, E. F.	89	A.J.S. Special	32 51	1 05 03 32 12	1 37 11 32 08	2 11 27 34 16	2 44 23 32 56	3 17 39 33 16	3 50 34 32 55	68 73
Edwards, R. J.	94	C. T. S.	32 22	1 05 48 33 26	1 39 03 33 15	2 12 28 33 25	2 47 49 35 21	3 21 47 33 58	3 55 47 34 00	67·21
Webb, W. M.	97	Excelsior	34 04	1 07 20 33 16	1 41 44 34 24	2 16 30 34 46	2 49 24 32 54	3 22 30 33 06	3 57 00 34 30	66·87
Tattersall, C.	90	C.T.S.	34 30	1 09 10 34 40	1 43 34 34 24	2 18 53 35 19	2 52 59 34 06	3 27 16 34 17	4 02 50 35 34	65·26
Geeson, R. E.	84	R. E. G.	35 09	1 08 56 33 47	1 51 15 42 19	2 28 40 37 25	3 02 02 33 22	3 36 56 34 54	4 10 36 33 40	63 24

Robin cyn y ras.
Tom Davies, Llanuwchllyn (Ewyrth Mary Lloyd Davies yw'r gŵr yn y cap stabal sy'n edrych ar Robin).

Robin yn ystod y ras.
Mae'n debyg mai hwn yw'r llun mwyaf adnabyddus o Robin yn rasio.

1951

Er na wyddai hynny ar y pryd, 1950 oedd y flwyddyn olaf iddo rasio ar Ynys Manaw. Yn 1951 bwriadai Robin reidio beic a adeiladwyd ganddo yn Llanuwchllyn, yn y *T.T.* Ei freuddwyd oedd cael gweld Cymro yn gwneud yn dda yn y *T.T.* ar feic Cymreig.

Cymerodd ffrâm *Norton*, gan ei gostwng a'i byrhau, rhoi ar y ffrâm rannau o *A.J.S.* a *Rudge*, a gwneud platiau injan a thanc petrol gartref yn ei weithdy yn Llanuwchllyn. Yn anffodus, fodd bynnag, ni chyrhaeddodd y gêrbocs mewn pryd i gwblhau'r beic erbyn y ras, felly ni chafwyd cyfle i weld dyfeisgarwch a dawn Robin ar ei orau mewn cyfuniad o'r reidar a'i feic ei hun.

Fe fu'r beic hwn ganddo am rai blynyddoedd ond ni fentrodd yn ôl i'r Ynys er mawr siom iddo a'i freuddwydion.

Yn y llun fe welir Robin yn eistedd ar yr 'RJE' fel y galwai ef. Mae'r llythrennau RJE (oedd mewn coch) ar ei danc petrol. Gallai fynd rhyw 132 milltir yr awr ar ei orau. Gellir hefyd weld y rhif 27 arno — sef ei rif yn y ras pe bai wedi cystadlu.

Mae'n debyg ei fod wedi meddwl am gynllunio ac adeiladu beic hollol newydd, a hwnnw yn feic a fyddai'n ei ddefnyddio i gynrychioli ei wlad. Ond methodd â chael unrhyw fath o gymorth ariannol i'w syniad ac yr oedd yn costio gormod iddo fentro ar ei ben ei hun. Felly, gan na allai godi'r arian, doedd dim amdani ond cyfaddawdu ac adeiladu beic i'w gynllun ei hun gan ddefnyddio darnau o beiriannau eraill.

LIGHTWEIGHT Tourist Trophy Race (250 c.c. CLASS) **4 Laps. LIST OF ENTRIES and SCORE SHEET**

The race will start at 9-30 a.m. and the competitors will be despatched at intervals as shown.

No.	Driver and Licence No.	Entrant and Licence No.	Motorcycle	m. s.	1st Lap	2nd Lap	3rd Lap	4th Lap
1	Hartley, H. 640	H. Hartley	249 Rudge	00 00				
2	Purslow, F. 803	F. Purslow	248 Norton	00 10				
3	Geeson, R. E. 1041	R. E. Geeson	248 R.E.G.	00 20				
4	Anderson, F. 860	F. Anderson	247 Moto-Guzzi	00 30				
5	Harrison, H. 715	Victor Horsman Ltd. 326	24[illegible] O.K. Supreme	00 40				
6	Brett, C. F. 1057	F. Fletcher 471	249 Norton-Excel.	00 50				
7	Sparrow, J. J. 702	J. J. Sparrow	248 Excelsior	01 00				
8	Jones, N. E. 719	N. E. Jones	249 Jones Rudge	01 10				
9	Parry, A. L. 765	Reg. W. Dearden 470	248 Norton	01 20				
10	Sorensen, S. A. 423 (Denmark)	S. A. Sorensen	250 Excelsior	01 30				
11	Cann, M. 886	M. Cann	248 Moto-Guzzi	01 40				
12	Hutt, W. G. 954	Oxfordshire MRC 480	247 Moto-Guzzi	01 50				
14	Sandford, C. C. 832	Veloce Ltd. 378	248 Velocette	02 10				
15	Wheeler, A. 728	Wheeler Motors 352	249 Velocette	02 20				
16	Stephen, H. L. 716	Ace Garage Ltd. 324	249 A.J.S.	02 30				
17	O'Driscoll, J. P. 652	J. P. O'Driscoll	249 Rudge	02 40				
18	Webb, W. N. 655	W. N. Webb	249 Excelsior	02 50				
19	Cope, E. F. 627	Chas. E. Cope & Sons, Ltd. 438	248 Cope-A.J.S.	03 00				
20	McCredie, J. 1043	J. M. McCredie	249 Excelsior	03 10				
21	Foster, A. R. 964	Veloce Ltd. 378	248 Velocette	03 20				
22	Berggren, B. 153 (Sweden)	B. Berggren	248 Husqvarna	03 30				
23	Evans, W. 621	Ace Garage Ltd. 324	249 A.J.S.	03 40				
24	Keys, B. E. 1005	B. E. Keys	249 Keys Special	03 50				
25	Miller, S. M. 807	S. M. Miller	248 Benelli	04 00				
26	Webster, W. M. 614	Kings of Manchester 499	250 Pike Rudge	04 10				
27	Edwards, R. J. 1073	R. J. Edwards	247 R.J.E.	04 20	Non Starter - Gearbox not ready			
28	Ambrosini, D. 2797 (Italy)	D. Ambrosini	250 Benelli	04 30				
29	Lashmar, D. G. 897	Lewis, Ellis & Foster Ltd. 387	249 L.E.F.	04 40				
30	Brett, J. 1056	Hallen's Motor Eng. 330	250 Rudge	04 50				
31	Amm, W. R. 1055 (S. Rhod.)	W. R. Amm	249 Excelsior	05 00				
32	Lomas, W. A. 811	Veloce Ltd. 378	248 Velocette	05 10				
33	Beevers, J. W. 650	Hope & Anchor Breweries 534	249 Excelsior	05 20				
34	Bayliss, L. J. 867	Elms Metals 356	246 Ellbee Special	05 30				
35	Jones, A. W. 747	W. M. Webster 436	248 Excelsior	05 40				
36	Beasley, D. St.J. 800	D. St. J. Beasley	250 Velocette	05 50				
37	Pike, R. H. 617	R. H. Pike	248 Pike Rudge	06 00				
38	Petty, R. J. A. 639	R. J. A. Petty	246 New Imperial	06 10				
39	Graham, R. L. 757	R. Dearden 470	248 Velocette	06 20				
40	Lorenzetti, E. 2801 (Italy)	E. Lorenzetti	247 Moto-Guzzi	06 30				
41	Billington, H. W. 654	Victor Horsman Ltd. 326	248 Moto-Guzzi	06 40				

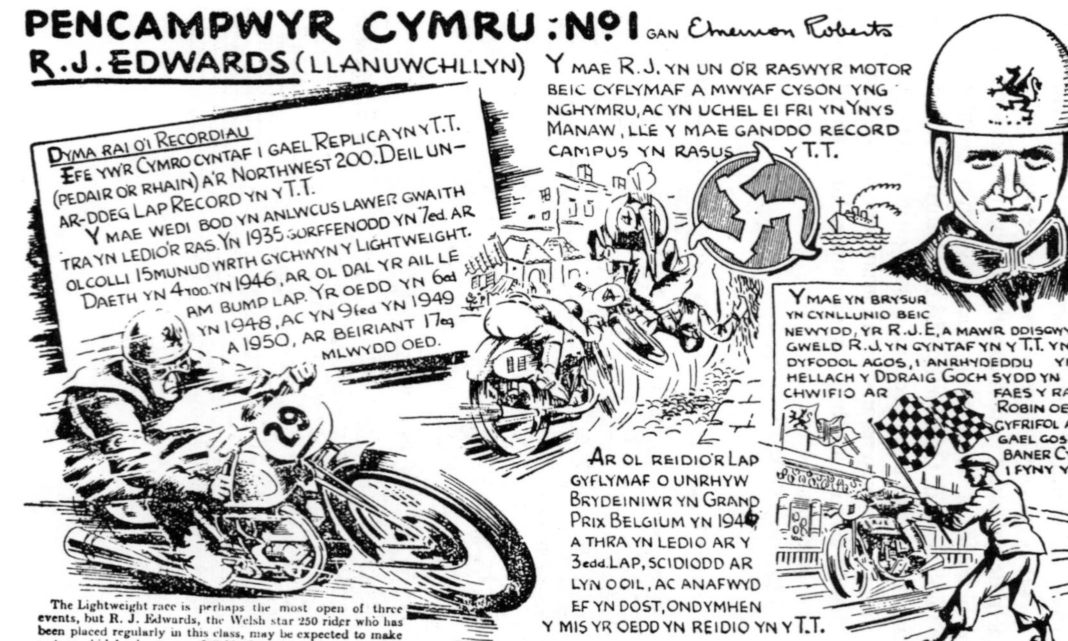
PENCAMPWYR CYMRU: No. 1 GAN Emrys Roberts
R.J. EDWARDS (LLANUWCHLLYN)
Y MAE R.J. YN UN O'R RASWYR MOTOR BEIC CYFLYMAF A MWYAF CYSON YNG NGHYMRU, AC YN UCHEL EI FRI YN YNYS MANAW, LLE Y MAE GANDDO RECORD CAMPUS YN RASUS Y T.T.
DYMA RAI O'I RECORDIAU
EFE YW'R CYMRO CYNTAF I GAEL REPLICA YN Y T.T. (PEDAIR O'R RHAIN) A'R NORTHWEST 200. DEIL UN-AR-DDEG LAP RECORD YN Y T.T.
Y MAE WEDI BOD YN ANLWCUS LAWER GWAITH TRA YN LEDIO'R RAS. YN 1935 GORFFENODD YN 7ed. AR OL COLLI 15 MUNUD WRTH GYCHWYN Y LIGHTWEIGHT.
DAETH YN 4ydd. YN 1946, AR OL DAL YR AIL LE AM BUMP LAP. YR OEDD YN 6ed YN 1948, AC YN 9fed YN 1949 A 1950, AR BEIRIANT 17eg MLWYDD OED.
29
Y MAE YN BRYSUR YN CYNLLUNIO BEIC NEWYDD, YR R.J.E., A MAWR DDISGWYLIR GWELD R.J. YN GYNTAF YN Y T.T. YN Y DYFODOL AGOS, I ANRHYDEDDU YMHELLACH Y DDRAIG GOCH SYDD YN CHWIFIO AR FAES Y RASUS. ROBIN OEDD YN GYFRIFOL AM GAEL GOSOD BANER CYMRU I FYNY YNO.
AR OL REIDIO'R LAP GYFLYMAF O UNRHYW BRYDEINIWR YN GRAND PRIX BELGIUM YN 1949, A THRA YN LEDIO AR Y 3edd. LAP, SCIDIODD AR LYN O OIL, AC ANAFWYD EF YN DOST, OND YMHEN Y MIS YR OEDD YN REIDIO YN Y T.T.
The Lightweight race is perhaps the most open of three events, but R. J. Edwards, the Welsh star 250 rider who has been placed regularly in this class, may be expected to make a strong bid for honours.—I.O.M. Examiner.

Sut Reidar Oedd Robin?

Wrth edrych drwy ei record yn y rasys mawr, mae'n amlwg i Robin wneud ei farc, ac iddo lwyddo y tu hwnt i bob disgwyl, o ystyried y beics y bu yn eu reidio a'r lwc a gafodd — neu'r anlwc, lawer tro.

Collodd gyfnod gorau ei fywyd, does dim dwywaith am hynny, sef cyfnod y Rhyfel, pan ohiriwyd rasys motobeics ar Ynys Manaw am chwe mlynedd. Petai wedi ei eni ddeng mlynedd ynghynt yna gallai fod wedi cyrraedd safon Stanley Woods, a phetai wedi ei eni ddeng mlynedd yn ddiweddarach, yna does dim dwywaith na fyddai wedi bod yn bencampwr y byd, ac yn cael sefyll ysgwydd wrth ysgwydd gyda mawrion fel Duke a Hailwood. Dyna farn llawer o'r rhai sydd wedi ymddiddori yn y gamp dros y blynyddoedd, beth bynnag.

Pan holwyd y diweddar Stanley Woods ar raglen deyrnged i Robin, rhaglen a wnaed gan Hefin Edwards ac a ddarlledwyd ar ddechrau'r wythdegau o dan yr enw 'Robin Jac — Y Fellten Goch' dyma a ddywedodd (o'i gyfieithu):

'Er mwyn concro cwrs Ynys Manaw, mae'n rhaid cael y gallu i'w reidio ac i allu cofio pob rhan ohono. Mae ei record [Robin] yn dda iawn, sydd yn profi nad oedd yn rhy galed ar ei injan!'

Gwyddai Stanley Woods sut beth oedd reidio'r cwrs hwn, gan iddo fod yn bencampwr arno ddeg o weithiau, felly gallai adnabod reidar da, a dyna pam yr oedd â'i lygaid ar Robin fel darpar aelod o'i dîm cyn i'r Rhyfel ddifetha pethau.

Disgrifiwyd Robin gan ohebydd enwog ar Ynys Manaw fel '*Edwards the Enigma*' ac fe fu'n sôn amdano'n smocio sigarét wrth fynd rownd corneli wrth rasio, ac er bod hanes iddo wneud hynny yn ystod rhai o'i rasys pwysicaf, yn ystod yr ymarferiadau y digwyddodd.

Yr oedd yn haeddu'r enw 'Y Fellten Goch'. Dyna sut y cyfeiriai rhai o'i gefnogwyr ato ac ymhyfrydai yn yr enw. Gyda'i helmed dribanog a dreigiog a'i ledrau coch, byddai'n rhoi tipyn o liw i'r achlysur.

Fel reidar, rhagorai ar ffordd wlyb, ac o dan amgylchiadau felly, gallai gystadlu ag unrhyw un gyda'i hen feic, 1933. Dangosai ei allu fel reidar, gan fod y lleill yn gorfod cymryd pwyll ac felly'n colli'r fantais cyflymdra a feddai eu beics newydd. Cornelai yn well na neb hefyd, ac yn aml iawn fe fyddai'n dal i fyny ar y gornel ond yn colli ar y gwastad gan nad oedd digon o blwc yn y *C.T.S.* o'i gymharu â beics mwy diweddar.

Gan mai dyn bychan, eiddil oedd Robin, rhoddai hynny fantais iddo dros reidar a oedd yn fwy o ran maint. Byddai dyn mawr, trwm yn gorfod gwasgu ei hun i le llai o lawer, ac felly'n gorfod gorwedd yn fflat iawn ar y tanc. Yn ôl Robin:

'Pe baech yn codi eich pen dipyn bach, yna fe welech eich sbîd yn mynd i lawr, yn ei weld o ar y *rev counter*, ac mae hynny'n dweud mwy ar y *250* wrth reswm, gan ei fod yn feic llai.'

Byddai dyn bach fel Robin yn cornelu yn well, hefyd, gan fod ei bwysau yn is ar y beic, a'r *centre of gravity* yn well.

Peth arall a'i llesteiriodd oedd diffyg arian. Gêm ddrud iawn oedd reidio ar Ynys Manaw, yn enwedig i rywun nad oedd yn perthyn i 'dîm gwaith', neu dîm un o'r cwmnïau motobeics. Heddiw, fe fyddai Robin wedi cael ei noddi gan fusnesau a chwmnïau lleol, yn ogystal â chwmnïau mwy, ond yn ei gyfnod ef roedd yn rhaid iddo ganfod pob ceiniog ar ei liwt ei hun. Tra bo ei fusnes motobeics yn rhedeg yn llwyddiannus cyn y Rhyfel, deuai'r arian i mewn, ond at ddiwedd y pedwardegau, nid oedd pethau mor dda. Mae 'timau gwaith' bob amser yn gallu cystadlu'n llwyddiannus gan fod y gefnogaeth yno — does dim problem cael beic, a darnau iddo. Gan y defnyddir rasys fel rhai Ynys Manaw i arbrofi ac i arddangos beiciau newydd, yna daw'r gwaith â beiciau newydd, cyflym yno a'r holl gefnogaeth i'w rasio'n llwyddiannus.

Yn ôl Jac Lloyd, yr oedd Robin yn mynd trwy gyfnod o ddysgu, neu'n bwrw'i brentisiaeth, yn y tridegau a heb gyrraedd y brig, felly nid oedd yn cael cyfle i reidio beics gwell. A dyna'r union gyfnod y daeth y Rhyfel i ddrysu'r cwbl — ar yr union adeg pan oedd llygad mwy nag un arno, gan ei fod yn reidar taclus a gofalus, ac yn gornelwr mor dda. Gwnaeth argraff gref ar Joe Craig, rheolwr Norton, fel y soniais, ac am yr un rheswm y bu i Stanley Woods chwarae â'r bwriad i gynnig lle i Robin yn ei dîm ef, gan roi cyfle iddo reidio'r *Motoguzzi* enwog.

A hyn i gyd, yn rhyfeddol, o gofio pa mor fregus oedd iechyd Robin, a'r gwendid corfforol a ddilynodd ei waeledd. Byddai llawer iawn o ddynion wedi methu â meddwl am fynd ar gefn beic yn ei gyflwr, heb sôn am reidio ar ffyrdd troellog Ynys Manaw, gyda'i chwrs hir a chaled. Roedd y ffaith iddo fynd i rasio mor fuan ar ôl y ddamwain fawr yng Ngwlad Belg yn brawf o'i benderfyniad ac o'i gymeriad cryf — roedd angen tipyn o blwc i goncro'r nerfau a mynd yn ôl i rasio o fewn pum wythnos i'r ddamwain fel y gwnaeth Robin. Dangosodd hynny, hefyd, ei fod yn greadur brwnt efo'i hun, ac nad oedd yn edrych ar ôl ei iechyd fel y dylai, o gofio ei hanes pan yn ifanc.

Gallai reidio unrhyw feic yn fedrus ar y cynnig cyntaf, dyna pa mor dda yr oedd o. Derbyniai unrhyw her, ac fe gostiodd hynny'n ddrud iddo pan gafodd y ddamwain ar Bont y Lliw, ond dyna sut un oedd Robin.

Cofia Dei Edwards i Robin fod yn gweithio ar gar ffermwr Glan-llyn, *Ford V8* buan. Roedd Dei Edwards wedi mynd gyda pherchennog y car i'r Hendre Mawr un min nos i baentio rhyw ddarn o'r car. Noson braf yn yr haf oedd hi. Toc, dyma Mrs Jones i ben y drws:

'Robert John, cofia dy fod ti eisiau mynd i Llan i nôl bara.'

'Damia, sgen i ddim car,' meddai Robin.

'O, a' i â ti i lawr,' meddai'r ffermwr.

'Na, paid â phoeni, wa, a' i i lawr ar y beic,' atebodd yntau, ac roedd y *Norton* ganddo fo yr adeg hynny.

'Rasia i di i'r Llan,' meddai'r ffermwr.

'Reit, wa. Ro i *start* i ti at Beniel,' meddai Robin, 'a chau'r giât ar dy ôl, a watsia di wrth Beniel na fydda i wedi cychwyn o'r Hendre.'

Eisteddodd Robin ar y *Norton*. Aeth y ffarmwr i lawr, cau y giât ac ymlaen o Beniel. Cymaint oedd gallu Robin ar gefn beic, mi gychwynnodd o'r tŷ, agor a chau'r giât a phasio'r car cyn iddo gyrraedd y gwastad sy'n arwain i bentref Llanuwchllyn, gyda'i fag yn chwifio ar ei gefn. Dyna faint o reidar oedd o. Dyn yn adnabod ei feic ac yn hyderus o'i allu ei hun.

Dyna'r pencampwr na fu, efallai. Petai wedi llwyddo i ddod yn bencampwr yn ei faes, yna byddai rhywun amgenach wedi ysgrifennu'r llyfr hwn, a hynny ers blynyddoedd lawer!

Crynodeb o record R.J. Edwards mewn rasys pwysig

Blwyddyn	Enw'r ras	Lleoliad	Safle Terfynol
1934	Manx Challenge	Croesoswallt	3ydd
	Manx Grand Prix	Ynys Manaw	Rhoi'r gorau iddi ar lap 3
1935	Manx Grand Prix	Ynys Manaw	7fed
1936	Manx Grand Prix	Ynys Manaw	Rhoi'r gorau iddi ar lap 1
1937	Manx Grand Prix	Ynys Manaw	Rhoi'r gorau iddi ar lap 3
1938	International N.W. 200 Grand Prix Iwerddon	Portrush, Gogledd Iwerddon	3ydd
	CYFNOD Y RHYFEL		
1946	Grand Prix Gwlad Belg	Le Zoute, Gwlad Belg	Damwain
	Manx Grand Prix	Ynys Manaw	4ydd
1947	Manx Grand Prix	Ynys Manaw	6ed
1948	Manx Grand Prix	Ynys Manaw	Rhoi'r gorau iddi ar lap 3
1949	T.T.	Ynys Manaw	9fed
1950	T.T.	Ynys Manaw	9fed

Y Cymeriad

Gwelsom eisoes ei fod yn fachgen galluog iawn ond yn un castiog a direidus. Roedd fel petai dim digon o waith i'w ymennydd, ac felly'n gorfod cael rhywbeth arall i'w wneud bob tro. Dyna sut un oedd o pan yn ddyn hefyd, yn meddwl am y syniadau rhyfeddaf weithiau. Doedd o ddim y glanaf ei galon bob amser chwaith, gallai fod yn frwnt iawn ei hiwmor ar adegau. Ond does dim dwywaith ei fod yn ŵr galluog iawn, ac yn rebel ar yr un pryd.

Pan oedd Mered Jones yn gweithio yng Ngwasanaeth Sifil y Fyddin, yr oedd arno angen pasio arholiad y *City and Guilds*. Gweithiai'n galed, gan astudio am oriau.

'Tyd â'r hen *exam papers*, Jôs, awn ni drwyddyn nhw,' meddai Robin wrtho.

Dyna lle y bu'r ddau, wrth y tân yng nghartref Mered Jones, noson ar ôl noson, am benwythnosau lawer. Mi fethodd y tro cyntaf, ond mi lwyddodd ar yr ail gynnig, a'r diolch yn bennaf i Robin.

Daeth plismon i Lanuwchllyn un tro, a daeth Robin yn dipyn o ffrindiau gydag ef. Gan fod ganddo bedwar o blant, soniodd wrth Robin ei fod am sefyll arholiad i fynd yn sarjant, er mwyn cael codiad cyflog i gynnal y teulu.

'Duw, gyrra i Gaernarfon, wa, am hen *test papers* sarjant,' meddai Robin. Dyna wnaeth o, ac mi aeth â nhw i Robin i'w darllen.

'Duw, gyrra nhw'n ôl, 'di rhein yn dda i ddim byd, gyrra am rai *inspector* wa.'

'Be sy' arnat ti, basia' i byth,' meddai hwnnw.

'Gyrra amdanyn nhw, wa, am yr hen bapurau.' Mi yrrodd

amdanynt ac wedi cael cymorth gan Robin fe basiodd, ac fe fu'n Arolygydd o Rhyl i'r Bermo ac yn Siwper yn ôl bob sôn cyn y diwedd. Cafwyd sawl stori am Robin yn rhoi cymorth i eraill.

Fel y gwelwyd eisoes, roedd yn gynganeddwr medrus ac yn hyddysg iawn yng ngwaith beirdd yr ardal. Wedi iddo werthu car i Alan Llwyd, bu'n ei helpu i ddysgu gyrru'r car ond troi at feirdd a barddoniaeth a wnaent bob tro, yn enwedig beirdd Penllyn, ac mi ddysgodd Alan Llwyd lawer am y beirdd hyn — ond ychydig iawn am yrru car a rheolau'r ffordd fawr! Esgus Robin bob amser oedd iddo ddod am wers yrru:

'Lle bod dy ben di yn y llyfr 'na o hyd.'

Credai llawer y byddai wedi gwneud marc ym myd y gyfraith petai wedi mynd ymlaen â'i addysg. Ond Robin oedd o, wedi'r cwbl.

Er bod ei iechyd yn fregus, ac iddo dderbyn sawl rhybudd iddo edrych ar ei ôl ei hun, dal i fynd allan ym mhob tywydd a gwlychu at ei groen fyddai Robin. Fedrech chi ddim dal pysgod yn y tŷ! Credir iddo daflu'r diciâu i ffwrdd drwy fod allan yn y gwynt a'r glaw.

Drwy gydol ei oes, fe fu'n smociwr trwm. Mi fu sawl un yn ceisio ei gael i roi'r gorau i'r sigaréts ond ei ateb bob tro oedd:

'Fedra i ddim 'sti.'

A chan ei fod yn dioddef o wendid ticiau, câi'r mwg effaith ddrwg iawn ar ei ysgyfaint, gan ei wanhau a'i waelu'n raddol, yn enwedig dros flynyddoedd olaf ei oes.

Cadwai teulu Heulwen Roberts y siop yn y Llan ac fe fyddai Robin yn galw yno bob awr o'r nos i nôl sigaréts. Smociai rai cryfion iawn, *Players* gan amlaf, ond os nad oedd rheiny ar gael yna rhaid oedd setlo am unrhyw fath arall.

Yn Ysgol Haf y Blaid yn Llangollen (1945) yr oedd Robin wedi rhedeg allan o sigaréts. Bu'n chwilio ym mhob siop yn y dref, bron, a chan ei bod yn gyfnod o brinder, doedd dim posib eu cael. Aeth Robin yr holl ffordd i Lanuwchllyn yn ei gar, i'r siop, er mwyn cael sigaréts, ac yn ei ôl wedyn. Dyna faint ei ddibyniaeth arnynt.

Un noson, yr oedd Heulwen Roberts yn eistedd yn y tŷ yn

darllen llyfr ysbryd. Digwyddai ddarllen rhan oedd yn ddigon i godi ofn arni, pan glywodd gnoc ar y ffenest. Neidiodd o'i chadair, roedd hi wedi dychryn yn arw, ond dim ond Robin oedd yno, eisiau sigaréts fel arfer!

Fel y soniais, creadur hwyrol iawn oedd Robin; treuliai'r rhan helaethaf o'r diwrnod yn ei wely, ond yn ystod y nos fe fyddai'n fywiog iawn. Roedd Dei Edwards yn byw mewn carafán yng Nglan Lliw am gyfnod. Un noson, a hithau'n tynnu am hanner nos, ac yntau wedi mynd i'w wely, dyma gnoc ar y ffenest.

'Ti'n cysgu, wa?'

'O, damia di Robin,' meddai Dei Edwards, gan godi i agor y drws i'w adael i mewn.

'Teipia rhein i mi, wa.'

Roedd ganddo benillion amharchus, braidd, am dri gŵr oedd yn sefyll yn erbyn ei gilydd am sêt ar y cyngor. Yr oedd eisiau i Dei Edwards eu teipio, rhag ofn i un ohonynt adnabod ei ysgrifen. Fe fyddai hynny'n beth cyffredin iawn, Robin yn sgrifennu penillion neu englynion am rywrai nad oedd am iddynt ganfod enw'r awdur a Dei Edwards yn eu teipio iddo.

Pan oedd Dei Edwards yn ifanc, fe fyddai criw o hogiau Llanuwchllyn yn mynd draw i Ddolgellau yn aml. Ambell i noson, fe fyddai'r croeso yn dda a phan ddeuai'n amser troi am adref, fe fyddai'r bws olaf wedi hen fynd. Erbyn hynny, fe allai fod yn un, dau neu dri o'r gloch y bore, a dim amdani ond cychwyn cerdded am Lanuwchllyn. Yr unig obaith am reid adref oedd y deuai Robin o rywle yn ei gar wedi iddo fod yn crwydro. Byddai'n stopio bob amser gan roi reid i'r llanciau i Lanuwchllyn. Er bod Robin yn byw ym Mheniel, ddaru o erioed adael yr un ohonynt i lawr yn fan honno, dim ond eu danfon bob cam i Lanuwchllyn, neu i le bynnag roeddynt eisiau mynd. Dyna sut un oedd o, doedd amser na phellter yn golygu dim yn ystod y nos.

Gallai fod mwy nag un diben i'r teithiau hwyrol hyn, yn sgota neu botsio, ond yn aml iawn i hel merched. Byddai'n amhosibl cwblhau'r llyfr hwn heb o leiaf gydnabod ei fod yn 'un am y merched' ac mae amryw o straeon yn dal i gael eu hadrodd amdano i'r perwyl hwnnw hyd heddiw.

Er na fu ganddo gariad selog, ac na fu, yn ôl pob sôn, o fewn cyrraedd priodas, yr oedd yn mwynhau cwmni merched. Ond fel hen lanc y daeth i ddiwedd ei oes, ac mae'n weddol sicr mai ysgrifennu o'i brofiad ei hun yr oedd pan gyfansoddodd yr englyn hwn:

Hen Lanc (1951)

Gorau'i gynnig ar hogenod — chwerwodd
'Rol chwarae â gormod;
A hyd ei fedd fe ddwed fod
Byw'n eitha heb enethod.

Pan agorodd Gwersyll Glan-llyn am y tro cyntaf, yr oedd merched hardd yn dod yno a hogiau Llanuwchllyn wedi gwirioni.

'Rhaid i ti ddod i lawr,' meddai Robin wrth Mered Jones un noson. 'Tua hanner nos, 'ma. Ellwn ni fynd i mewn, dwi'n gwybod am ffordd i fynd.'

Roedd hi'n dawel braf yno, ac yr oedd Robin yn cerdded ar hyd y balconi pan ddaeth rhai oedd yn gofalu am y lle, allan. Neidiodd Robin dros y balconi, glanio mewn twll cwningen a throi ei droed. Mi fu'n gloff am rai wythnosau wedyn.

Ond dyma adael y pwnc gan ddweud ei fod yn un i grwydro ymhell ac agos os oedd wedi cael hanes merch yn rhywle.

Er y byddai'n smocio'n drwm, nid oedd ganddo ddim i ddweud wrth gwrw. Gwyddai am beryglon hwnnw fel reidar motobeic, ac mae ei farn yn glir ar y mater mewn englyn neu ddau yng nghefn y llyfr.

Ond talai ymweliadau mynych â'r 'Bull' yn y Bala, nid i yfed cwrw ond i chwarae billiards yn y cefn, ac i gael sgwrs â'r tafarnwr, a ymddiddorai mewn motobeics. Yno mae'n debyg y gwelodd yr ymddygiad a groniclir yn ei englynion i'r dafarn.

Hoffai chwarae draffts hefyd. Fe ddylai rhywun gasglu hanes y gornestau draffts a gynhaliwyd ym Mhenllyn a'r plwyfi cyfagos dros y blynyddoedd. Bu (ac y mae eto) yn gêm boblogaidd iawn, gyda thimau ac unigolion yn crwydro o dŷ i dŷ neu o neuadd i neuadd i chwarae a chystadlu. Yr oedd Robin yn aelod o dîm draffts Llanuwchllyn ac yn mynd o gwmpas y wlad i herio timau eraill. Byddai hefyd, yn treulio oriau lawer yn chwarae draffts gyda thad Heulwen Roberts, yn aml iawn tan berfeddion nos.

Doedd ganddo ddim diddordeb mewn ffermio, er y byddai'n cymryd dipyn o ddiddordeb mewn ŵyn bach yn ystod y gwanwyn.

Un llawn straeon oedd Robin. Roedd yn gwmni difyr iawn ac yn un da am adrodd straeon, er bod rheiny'n hanner celwydd yn aml. Gan fod ei ffrindiau'n gwybod hynny, beth bynnag, byddai ei glywed yn eu hadrodd yn gymaint mwy o hwyl. Dyna paham mae rhai o'r straeon amdano yn rasio mor anodd i'w credu — mae'n debyg mai ef oedd yn cychwyn rhai ohonynt, ac erbyn heddiw fe'i credir hwy fel efengyl gan lawer.

Un castiog iawn oedd o hefyd fel yr eglurais, ac fe gaech eich gwneud ganddo mewn dau funud; yr oedd yn rhaid ei wylio fo.

Mi fyddai C.R. Jones yn gweithio o gwmpas y ffermydd, ac yn digwydd gweithio yn yr Hendre Mawr. Roedd ganddo feic *Coventry Eagle Autocycle*, a'r badlen wedi dod yn rhydd. Digwydd bod wrthi'n weldio rhywbeth oedd Dei Edwards a Robin pan ddaeth C.R. heibio ar y ffordd i'r tŷ i gael swper cyn mynd adref.

'Weldia badlen y beic 'na imi Robin,' meddai C.R.

'Reit, wa.'

A dyma weldio'r badlen yn daclus yn ei lle ar y beic.

'Wyt ti isio sbort wa?' meddai Robin. Symudodd y beic, a'i roi i bwyso yn erbyn hen gar oedd yn sefyll ar y buarth. Gwneud yn siŵr fod y badlen yn pwyso ar y bympar, a dyma fo'n rhoi sbotyn o'r weldyn i flaen y badlen a'i rhoi'n sownd yn y bympar.

Aeth y ddau rownd y gornel i guddio. Yna, dyma C.R. yn dod allan o'r tŷ, ac yn ôl ei arfer, yr oedd ar frys. Gafaelodd yn y beic. Y cwbl a glywyd am rai munudau wedyn oedd sŵn C.R. ar ganol y buarth yn damio dros y lle.

Mae Dewi Bowen yn cofio un car fu gan Robin yn dda iawn. Tua dechrau'r Rhyfel oedd hi, ac yr oedd newydd gael car go gyflym o'r math a elwir yn *sports* heddiw. Ar draws pen blaen y car yr oedd brawddeg ryfedd iawn wedi ei phaentio. Dyma hi:

ILLS HITONA NYFASTO NE

Holodd Dewi Bowen Robin un diwrnod:
'Pwy iaith 'di hwn, dwad?'
'O, Sbaeneg, fachgen,' oedd yr ateb.

Ond nid Sbaeneg oedd o. Dim ond i chi aildrefnu'r llythrennau, mi welwch mai Saesneg ydi o, ac nid yw'n frawddeg barchus iawn chwaith:

I'LL SHIT ON ANY FAST ONE.

Robin Jac yn gwisgo bathodynnau Ynys Manaw.
(Un am bob blwyddyn y bu'n cystadlu yn y M.G.P.)

Doedd o ddim yn egluro ei hystyr i fawr o neb. Byddai'n rhaid i chi weithio allan beth oedd ei hystyr. A byddai Robin yn cael hwyl garw wrth weld pobl yn ceisio dyfalu.

Mae'r stori hon yn dwyn i gof dric a chwaraeodd ar Olygydd *Y Cyfnod* yn y Bala un tro. Tua'r adeg hynny, yr oedd rhywrai yn cloddio yn hen gaer Rufeinig Caergai, ger Llanuwchllyn. Gyrrodd Robin nodyn i'r Golygydd i ddweud wrtho fod llestr hynafol iawn wedi cael ei ddarganfod yn ystod y cloddio, a bod rhyw lythrennau wedi eu hysgrifennu o gwmpas ei ymyl. Ond yr hyn oedd wedi digwydd oedd fod Robin wedi gweld ei gyfle i chwarae tric. Doedd yr un llestr hynafol wedi cael ei ddarganfod y tro hwnnw, ond bod Robin wedi cymryd brawddeg o'r Saesneg, wedi ei thorri i fyny'n ddarnau a symud y llythrennau fel bod y neges yn hollol annealladwy a dieithr.

Derbyniodd y dyn papur newydd hyn i gyd fel ffaith, a bod rhywbeth pwysig wedi cael ei ddarganfod yng Nghaergai, ond bod pawb yn cadw'n ddistaw am y peth rhag ofn i eraill fynd yno i gloddio.

Ond wedi rhoi trefn ar y llythrennau, beth oedd cynnwys y neges ond:

THIS IS A PISSPOT AND A TIN ONE.

Er ei gastiau a'i driciau, cofia llawer amdano fel gŵr caredig — yn nhyb rhai, un o'r bechgyn ffeindiaf ar y ddaear. Cofir ym Mhenllyn am y cymeriad, ond cofio wna Cymru gyfan bellach am y gwrol fotobeiciwr a allai, gyda lwc, a phetai amser o'i blaid, fod wedi dod yn bencampwr y byd.

Diwedd y Daith

Wedi iddo orffen rasio ar Ynys Manaw, aeth o ddim yn ôl yno wedyn. Er bod sôn iddo rasio yn Oulton Park yn ystod y chwedegau cynnar, nid yw'r cofnodion swyddogol yn cadarnhau hynny, felly mae'n rhaid derbyn ei fod wedi rhoi'r gorau iddi ar ddechrau'r pumdegau. Yr oedd dau brif reswm am hynny. Y rheswm cyntaf oedd diffyg arian. Petai Robin yn rasio yn y nawdegau, yna mae'n bur debyg y byddai enwau fel 'Pero' a 'Gwasg Carreg Gwalch' i'w gweld ar ei feic a'i ddillad, yn cadw cwmni i Gymreictod ei helmed. Byddai hefyd ddigon o nawdd i'w gael yn ardal y Bala, er mwyn cynnal ei ddiddordeb. Yr ail reswm oedd cyflwr ei iechyd, a oedd wedi dirywio'n raddol ac yntau'n mynd yn hŷn.

Er iddo roi gorau i rasio, fodd bynnag, yr oedd ganddo ddal ddiddordeb mewn motobeics. Daliai i reidio beic yn achlysurol, a deuai amryw o reidars â'u beics i Lanuwchllyn er mwyn iddo eu tiwnio cyn rasio, gan ei fod yn enw pur adnabyddus o hyd.

Clywais ddwy stori ddifyr gan Brian O'Neill, Borth-y-gest (ond yn wreiddiol o Drawsfynydd) am Robin. Ar ddechrau'r chwedegau, roedd Brian wedi mynd i Lanuwchllyn ar ei fotobeic, a phwy oedd wrth y drofa i'r pentref ond Robin, a hwnnw ar gefn motobeic rasio. Dywedodd ei fod yn tiwnio'r motobeic i ryw foi o'r Wirrall ar gyfer ras. Gofynnodd Brian iddo gâi o reid ar y beic. Cytunodd Robin, ac i ffwrdd â Brian fel fflamia am Rydymain.

Pan oedd yn pasio trwy'r pentref hwnnw, beth ddaeth i'w gyfarfod ond car plismon. Dyma'r car yn arafu ac yn paratoi i droi'n ôl i ddilyn y beic. Trodd Brian y beic yn ôl am Lanuwchllyn i gael y blaen arno. Camodd y plismon allan o'r car a sefyll o'i flaen, ac fe wyddai Brian nad oedd angen poeni achos roedd yn ei adnabod yn iawn.

Holodd y plismon pwy oedd piau'r beic? 'Robin Jac,' oedd yr ateb.

'Gad i mi ei drio fo,' meddai'r plismon, a dyna fu. Digwyddodd rhywbeth wedyn a fyddai'n ddieithr iawn heddiw (heblaw yn Iwerddon efallai). Rhoddodd y plismon ei gôt a'i gap i Brian O'Neill a gorchymyn iddo ei ddilyn yng nghar yr heddlu. Felly, o Rydymain i Lanuwchllyn, yr oedd y plismon ar y beic, a Brian yn gyrru'r car yr holl ffordd y tu ôl iddo. A hynny a fentrwyd, oherwydd mai 'beic Robin Jac' oedd o.

Tua'r un adeg, yr oedd Brian ac eraill yn sefyll ynghanol Blaenau Ffestiniog, yn edrych ar *Norton* newydd un o'r criw. Pwy ddaeth yno mewn *pick-up* (neu mewn fan) o rywle ond Robin. Holodd pwy oedd piau'r *Norton* a gofynnodd am reid arno. Wedi cael caniatâd i'w reidio, taniodd y beic, ac, i ffwrdd â fo, gan ei 'hagor hi allan' am Fwlch Gorddinan. Safai perchennog y beic yno'n poeni'n arw amdano ac yn amau na welai ef yn un darn, er nad oedd angen iddo bryderu am allu Robin i drin ei feic wrth gwrs.

Ond yn raddol, daeth diwedd ar reidio motobeic, a dibynnai fwy fwy ar y car i'w gario o gwmpas.

Wedi i Griff Jones farw ar ddechrau'r saithdegau, fedrai Mrs Jones ddim rhedeg y fferm ar ei phen ei hun ac felly bu'n rhaid symud yn ôl i'r pentref i fyw — wedi bwlch o hanner can mlynedd. Symudwyd i fynglo newydd a rhoddwyd yr enw Hendre Gwalia arno. Doedd Robin ddim am symud o'r Hendre Mawr, ond symud fu'n rhaid. Roedd ei chwaer Mena'n byw ger Machynlleth ers rhai blynyddoedd ond daliai Mai i fyw gartref, gan deithio i'w gwaith mewn ffatri hadau yn Llangollen.

Daliai Robin i bysgota ac i englyna, a dilyn yr un drefn o fod ar ei draed yn ystod y nos ac yna aros yn ei wely am ran helaeth o'r dydd. Daliai i smocio yn drwm hefyd, er bod ei wynt wedi mynd yn fyr iawn a'i fegin yn ddrwg. Treuliai gyfnodau yn Ysbyty'r Frest, Machynlleth, ond hyd yn oed yno, fe barhâi i lunio englynion.

Mrs C. Evans Rhydbod yn anfon llaeth enwyn i mi i Ysbyty Machynlleth

Llaeth enwyn sy'n llith hynod — yn ffisig
Hen ffasiwn a diod;
O'i armel os caf ormod
Rhoed y bai ar wraig Rhydbod.

Ysbyty'r Frest (Machynlleth)

Arafu a wnaeth rywfaint — ar olwyn
Rheolaeth fy henaint;
Y gofid o'r ysgyfaint
Nid yw'n awr yn fawr o faint.

Erbyn hyn, a hithau'n mynd i oed, câi ei fam gryn drafferth i'w helpu ac i edrych ar ei ôl yn iawn, gyda Mai ei chwaer yn gweithio, ac yn aml iawn yn aros yn Llangollen. Pan oedd Robin am gyfnod yn yr Ysbyty, daeth ei fam i aros at Mena a'r teulu, er mwyn cael ychydig o doriad ac i gael gorffwys. Ffoniodd Robin i ddweud ei fod wedi penderfynu dod adref o'r ysbyty (er na chafodd ganiatâd y meddygon i wneud hynny). Dywedodd Mena wrtho nad oedd ei fam gartref ac mai'r peth doethaf oedd iddo aros yn yr ysbyty i orffen y driniaeth ac i roi cyfle i wneud trefniadau ar ei gyfer. Mynnodd Robin fynd adref yn yr ambiwlans, a phan gyrhaeddodd y tŷ doedd neb yno i'w dderbyn, gan na wyddai ei fam na'i chwaer ei fod wedi gadael yr ysbyty.

Aeth Robin at ei gefnder, Wyn Edwards, Bro Aran (tad Hefin Edwards, sy'n ohebydd gyda Radio Cymru). Nid oedd ei fam yn ddigon cryf eto i ddod adref i edrych ar ei ôl, felly cafwyd lle iddo dros dro yng Nghartref Bryn Blodau yn Llan Ffestiniog. Yn ystod y cyfnod y bu ym Mryn Blodau fe ddirywiodd ei iechyd yn gyflym gydag effeithiau emffisema yn andwyol iawn i'w gorff — yn bennaf oherwydd ei fod yn smocio'n drwm iawn o hyd.

Yn ôl Emlyn Jones o'r Manod, Blaenau Ffestiniog, gŵr oedd â diddordeb mewn rasio motobeics, fe welodd Robin yn ddyn gwael iawn ym Mryn Blodau. Aethai Emlyn Jones i'r cartref i weld cyfaill iddo un diwrnod ac fe ddigwyddodd glywed fod Robin Jac yno.

Pan aeth i'w weld, yr hyn a welai o'i flaen oedd gŵr yn ymladd am ei anadl ond a oedd, hyd yn oed yn y cyflwr hwnnw, yn dal i smocio wrth orwedd yn ei wely.

Fe ddaeth o Fryn Blodau ond bu'n rhaid ei symud yn ôl i'r Ysbyty ym Machynlleth. Erbyn hyn roedd ei frest yn ddrwg iawn, a methai siarad, bron, gan mor wael ydoedd. Bu farw yn yr ysbyty ar ddydd Calan 1979 ac yntau newydd ddathlu ei ben-blwydd yn 68 oed.

Rhyw dro yn ystod y blynyddoedd olaf, ac yntau'n gwybod ei fod yn tynnu tua'r terfyn, lluniodd yr englyn hwn:

O fewn 'i ddor nid wyf yn dda — hirfaith
Yw oerfel y gaea';
Efallai y caf wella
Yn ddyn iach pan ddaw yr ha'!

Fe'i claddwyd ar y pumed o Ionawr yn y Fynwent Newydd, Llanuwchllyn.

Gwaith Barddonol R. J. Edwards

Mae dros gant a hanner o englynion Robin Jac ar gael, un ai mewn llyfrau, neu ar ddarnau o bapur ymysg ei bapurau eraill, neu ar gof a chadw llawer o bobl Penllyn. Adroddir ei englynion o hyd, a chlywais amryw ohonynt yn cael eu hadrodd yn ystod y gwaith ymchwil y bûm yn ei wneud ar gyfer y llyfr hwn. Gan fy mod wedi cynnwys nifer o'r englynion yn y penodau perthnasol, dyma ddetholiad o weddill ei waith.

Byd Natur

Y Griafolen

Hen bren diwerth i'w brynu — hwn i'r saer
Sy'n rhy sâl i'w naddu;
Ond medd rinwedd er hynny
Yn nhwf enllyn 'deryn du.

Yr Ehedydd

Cân yn awr bydd yn gwawrio — yn fwynaidd
I fyny mae'n lleisio;
Yn gantor o denor, do
Goroesodd hwn Garuso.

Robin Goch

I rynnu daw i'n rhiniog — o'r eira
Ar orig ysgythrog;
Gwych a glew yn ei goch glôg
Un annwyl yn newynog.

Y Gog

Och i weniaith ei chanu — ac adar
Y goedwig yn nythu;
Hon a'i sŵn yn datgan sy'
Bydd cywion feirwon fory.

Draenen

Un rodd boen a'i phig croenddu — yno mae
Ger tŷ Mam yng Nghymru;
I'r hon daw'r aderyn du
'Roi cân weithian, a nythu.

Pry Llwyd

Hen rolyn llwyd cythreulig — am loddest
Yn ymladdwr ffyrnig;
Gyda'i ddant o godi'i ddig
Hwn gydia'n felltigedig.

Cell (Caets)

Mae i'w ganiad le amgenach — na'r gell
I aer gwîg a'i deiliach;
Yn hon am oes greulonach
Rown i byth aderyn bach.

Ysgyfarnog

Chwim a heglog wrthrych maglau — a gwsg
Ar ei gwâl trwy'r dyddiau;
Yna rhed a hi'n hwyrhau
I'w phryd.o'r ŷd a'r hadau.

Hiwmor

Pin cau (*safety pin*)

I bobl â chlytiau babi — mae bach
Am ei bîg yn handi;
Rhoes oes hwy i 'nhrowsus i,
A sylwais, deil un Sali.

Corn

Ond er bod Dodo Meri — i'w gweled
Yn golofn cwrdd gweddi;
Ar ei chorn os sathrwch chi
Cewch rigwm, cewch o regi.

Damwain

Ar ras i ddatod bresus — am unwaith
Bûm hynod anffodus;
Ham a ffa a saim a phys
Arhosodd yn fy nhrowsus.

Beddargraff Warden Traffig

Hen adyn awdurdodol — yn ei oes
Fu'n niwsans modurol;
Aeth hwn heb hiraeth o'i ôl
I ffwrn a gwres uffernol.

Dogni Petrol

Un o dair yw Mair i mi — yn ymyl
Fan yma, mae'n handi;
Ella Vaughan nis gwelaf hi
Na Agnes os daw dogni.

Miss World

Melynben ferch ysblennydd — i ornest
Ddyfarnwyd enillydd;
O na ddôi i roi yn rhydd
Noson i hen ddinesydd.

Lipstic

Mor boenus ar wefusau — yw gweled
Y golwg wnaeth siopau;
Peri rhegi i'r hogiau
Wna hyllu gwefl â lliw gau.

Maxi

Sionyn fu'n rhegi'r ffasiynnau — ei gâr
Gadd gôt bron i'w sodlau;
Nawr fin nos mae'n gwir fwynhau
Ei gosod rownd ei goesau.

Yr Alcoholiwr (*Breathalyser*)

Siŵr o'i bwynt ar *Sherry* a *Bass* — ei liw
Wna lawer cymwynas;
Heddiw yn nwylo'r heddwas
Handi yw hwn — tendia was!

Y Ceiliog

I'w osgo a'i arwisgiad — ar yr iard
Try yr ieir bob llygad;
A'u geiriau — 'Dyma gariad,
Gawn ni di i gyw yn dad?'

Cloc Larwm

Yn y *bed* toc 'rôl pedwar — a minnau
Ym mynwes fy nghymar;
Ar ryw *beat* o gant i'r bar
Hwn oer ganai'n rhy gynnar.

Ci Anwes (neu anweddus)

Ystaeniodd lawr tŷ yn Stiniog — hwnnw
Yn annedd garpedog;
Daeth gofid gwraig gweinidog
Reit o dîn y *dirty dog*.

Ci Anwes

Siagi ei chariad siwgwr — o'n daear
Ymadawodd neithiwr;
Peidiodd 'rôl clec y powdwr
Godi'i goes ar goes y gŵr.

'Mul' (yn destun englyn digri yn Eisteddfod Genedlaethol Y Rhyl 1953)

I'w deulu o fewn y dalaeth — diawsti
Rhodd destun barddoniaeth;
Daw heddiw'n gamp prydyddiaeth
Seiri cudd y mesur caeth.

Ceffyl Blaen

Ei arddull a'i olwg urddol — ddeilliodd
O'i allu tafodol;
Yn wrthun deil yn wyrthiol
Heb un nam ar ei ben ôl.

Cyfarch

Mary Lloyd Davies (gyda Chwmni Opera Cymru yng Nghanada)

Rhowch o hyd longyfarchiadau — i hon
Mor aml fydd ei champau,
Mwy nha chlod eisteddfodau,
A'n Llan oll yn llawenhau.

I'w ffawd fel hyn proffwydais — anturiaeth
Cantores hyfrydlais;
Does yn siŵr 'run gŵr a gais
Heddiw wadu'r hyn ddwedais.

Hyd dyrau'r Oratorio — yn union
Bydd ei henw'n sgleinio;
Un o bridd hen dir ein bro
Wna'r antur yn Nhoronto.

Â Llew unwn mewn llawenydd — a'r fam
Gyda'r ferch ysblennydd;
Môr o fawl i'w Mary fydd,
Daw'r siarad 'draws Iwerydd.

Dau Frenin Llanuwchllyn
(J. Henry Davies a J. Ellis Roberts)

Yn hogiau deg a phedwar ugain, — dau
Sydd mor dirf â deugain;
Am hir oes, yn siŵr, mae'r rhain,
Maen nhw'n iach, minnau'n ochain.

Dau filain, bûm yn dyfalu — yn hir
Be wnawn i'w tawelu:
I ddwyn i bridd ddau hen bry'
Does weithian ond eu saethu.

Y Cartwnydd
(sef E. Meirion Roberts, Hen Golwyn)

Un yw hwn a wêl mewn ennyd — y pwynt
Neu'r pant mewn gwynepryd;
A gwêl foddio'i gelfyddyd
O'i wneud yn fwy — dyna'i fyd.

I Mr a Mrs Dewi Bowen
(ar achlysur eu priodas)

Un hardd a thal yw Sali — yn ddynes
Wna i ddyn fel Dewi;
Gwerth ei chael a hael yw hi
A hwyliog fel y gweli.

Er Cof (Am Rai o'r Ardal)

R. M. Roberts

Yr hogiau fu'n mawrygu — hen arwr
Eu hwyrol seneddu;
'Rôl galar ei ddaearu
Wêl y bois ddim hwyl fel 'bu.

Y Parch. O. Alaw Williams (Chwef. 1968)

Uwch ei geulan och y galar — elor
Ddug Alaw i ddaear;
Mawr y gwyn bod mor gynnar
Roi un cu i'r hwn a'i câr.

Colli hen gyfaill, I. T. Roberts, Y Bryn (Tecs Tydu)

Gwelais y glân ei galon — yn hwylio
I olwg yr afon;
Un nos ddu fe groesodd hon,
Mae'r hiraeth yma'r awrhon.

Arthur Tyncae

Hawlia hiraeth alaru — a gofid
I gyfaill — gwahanu;
Ond Arthur, o'r dolur du
A sŵn cwynion, sy'n canu.

John Pugh, Buarthmeini

Prudd ŷm oll o dy golli — yn sydyn
Arswydus eleni;
Myned o Fuarthmeini
I wŷs y Tad wnaethost ti.

Er cof am Ifan Machno

Mud y gŵr fu'n myd y gân — yn eilun
Ar alwad i bobman;
Yn ei afiaith ar lwyfan
Annwyl oedd â chalon lân.

W. H. Puw

Nodedig hynod ydoedd — un cyfiawn
Fel cofia llaweroedd;
A gwiw ei ran i gyhoedd
Gŵr i'w wlad, rhagorol oedd.

I'w hedd rhoed gwir fonheddwr — i'w haeddiant
Yn eiddo'i waredwr;
Un a fu addfwynaf ŵr
A diguro wladgarwr.

Geraint Edwards
(a laddwyd mewn damwain car, Tach. 1970)

Geraint, un o'r rhai gorau — â'n daear
Ymadawodd yntau;
Wedi mynd i ddweud y mae
Ei ychydig bechodau.

A iachawdwr pechodau — hwnnw ddwed
Caf ddyn a'i rinweddau;
Heb os yn drwm o bwysau,
Eill ein Nef ond llawenhau.

O alar ein ffarwelio — ag eirias
Wladgarwr o Gymro;
I'r bedd aeth, ond hir bydd o
Yn gyfaill gwerth ei gofio.

Dafydd Jones, Blaencwm

Rhodd bedd y gair diweddar — ar enw
Yr uniawn a'r hawddgar;
Prudd y Cwm, 'rôl priddo câr
A rhoi Dei i ro daear.

Antur Edwards

Antur, myned wnaeth yntau — o fywyd
Tyrfaoedd o ffrindiau;
Mynd olaf i buraf bau
Un edwyn lân eneidiau.

R. T. Rowlands, Fron-goch

Un o'n gwledig foneddigion — oedd hwn
Lwybrodd oes fel Cristion;
Gŵr yng ngolwg 'r angylion
Rhy dda'i rawd i'r ddaear hon.

Hwn wnaeth, heb sioe ragrithiol, — i eraill
Ei orau'n fendithiol;
I'r ddiddan hafan nefol
Yr aeth ef — hiraeth o'i ôl.

Rhof innau air i'w fonedd — enynnai
Hwnnw ein hedmygedd,
Rhoed i weryd i orwedd
Un fu'n fwyn, heb ofn ei fedd.

Bob Tairfelin

O'r holl ddoniau ym mryniau Meirionnydd,
Ffefryn y werin Bob y melinydd,
Llu nosweithiau, cyngherddau ei hwyrddydd
Yn henwr a'i gân wna'n awr ei gynnydd,
I'w genedl bu'n ddatgeinydd, — i'w gofyn
Deuai â nodyn o dôn ehedydd.

Aelwyd ei ysgol, llafur ei goleg,
Cantor a thenor i'r iaith Frythoneg,
Oes asynaidd yn udo Saesneg,
O wynt y noethdir, dôi yntau'n wyth deg
I leisio'i Fari 'Glwyseg, — fe'i cofiwn
A hir achwynwn na cheir ychwaneg.

Gwleidyddol a Chenedlaethol

Merthyron Penyberth

O oriel draw anfarwol dri — wyliant
  Eu golau'n fflam ynddi;
 A'r fflam hon fyn ohoni
 Ddod yn nes ein rhyddid ni.

Cell

Ynddi beunydd rhoed gwleidyddion — arwyr
  Heriodd drais y Saeson;
 Heddiw maent arweinyddion
 Rai fu'n hir o fewn i hon.

Cymdeithas yr Iaith

Os creulon cad estroniaith — a nadau
  Diawledig uchelraith
 O rym Cymdeithas yr Iaith
 Daw'r ynni 'gwyd yr heniaith.

I Arfon, Rhodri a Ffred

Gwŷr taeog ein tiriogaeth — i'w herio
Daeth dewrach cenhedlaeth
'Rhogiau hyn o'r Gymru gaeth
Roes i'w brodir ysbrydiaeth.

D. J. Williams

Anwylaf genedlaetholwr — (gelyn
A'i galwodd droseddwr);
Rhowch ei le i uchel ŵr
Na rodiodd lwybrau'r bradwr.

Merthyron yr Iaith

Ni rwystra carchar estron — eu hyder
Na'u clodwiw ymdrechion;
Arwriaeth fynn yr awrhon
Raen a thwf i'r heniaith hon.

Clawdd Offa

Hir bennod o drybini — i'n Gwalia
Fu gweled groesi;
Y ffin hon yr hoffwn i
I gedyrn ei hailgodi.

Bernadette Devlin A.S.

Rhoes eisoes her i'r Saeson — a'u gormes
Fel gwermod Iwerddon;
Hirhoedlog lyfr enwogion
Ynddo'n siŵr bydd hanes hon.

John Morris ac arwydd ffordd Llanelltyd

Heddiw, ôl camwedd welais — arwydd ffordd
Drodd y ffŵl yn hydrais;
Hen adyn — dyna dd'wedais
O'ch i'w swydd — gwas bach y Sais.

Cynffonwr

O'r rhelyw gwŷr amrylais — at Ianto
A'i antics ryfeddais;
Mae yntau'n disgwyl mantais
O roi *shine* ar dîn rhyw Sais.

Yr Argae

Yn ddigywilydd y gelyn — fynnodd
'Rafonig Tryweryn
I ddwyn llif o'n heiddo'n llyn
Rhaid dirfawr yw rhoi terfyn.

C. M. Jones (*shitbag and traitor*)

Eraser of God's creation — the fuehrer
Of foreign invasion;
Under the spell of London
Evil sort — the devil's son.

O.B.E.

Ar un 'co' gwranda 'rhen cwîn — ai rhodres
Yw rheidrwydd dy werin?
Rho dy sen, ferch i frenin
Yn dy dail o fewn dy dîn.

Y Swyddfa Rhyfel

Ioan Bwl i'w ganibaliaid — a'i lluniodd
I'w llenwi â diawliaid;
Heddiw'n wir maent ynddi'n haid
O athrylith cythreuliaid.

Wedi cael cadarnhad o chwech o gefnogwyr Plaid Cymru yn nhîm pêl-droed Cymru

Y cyntaf o Derby County — hefyd
Dei Dafis y *goalie*;
Arfon a John Mahoney
Difai wŷr — 'run Blaid a fi.

Toshack o hyd manteisiol — hwn a Flynn
Wna fflam Cenedlaethol;
Does amau pleidiau symol
Piau'r rhain sy'n bump ar ôl.

Y Deffro

Ein Gwalia wiw, gwelw wyt
Hir oedi deffro rydwyt.
Gweli di y goleu dydd
Gyda gosteg dy gystudd,
Dôi allan o'th dywyllwch
I dy blaid gadd laid, gadd lwch.
Y Triban o'r trybini
Hyf ei dŵf fe gyfyd hi
Du gyfnod wedi'i gefnu
Lanw'n hoes a 'mlaen yn hy'
A Chymry iawn gawn i gyd
Eu rhuddin ddêl o'u rhyddid.
Dy felys hoenus heniaith
Êl a graen ar ôl y graith
Derfydd ôl y dyrfa ddaeth
Ar fidog gâr orfodaeth.
Dy gapel Babel y bu
Bellach a saif heb ballu;
Daeog wŷr a'u duwiau gau
'R Efengyl o'u crafangau
Tyrfa gwŷr pentrefi gânt
Llu'n achwyn llawenychant
Segurdod oes gardodol
A rhaib adewir ar ôl.

Newydd-deb dy Senedd-dy
'N brawf i bawb nad braf y bu,
Arwriaeth fynn yr awrhon
Gamrau hŷf i'r Gymru hon
Dannedd draig eu deunydd dry
Gynhenid le'r geninen
O welw wael'n Walia Wen.

(Ar gyfer Eisteddfod Llandderfel o dan y ffugenw *Brython.*)

Englynion Eraill

Clorian

Rhag tramgwydd gyda'r nwyddau — hwn heddiw
Ddefnyddir mewn siopau;
Â'i fys, fe ddengys, i ddau
Heb os faint roir o bwysau.

Y beiau ar hyd bywyd — ar un llaw
Tra'n y llall y credyd;
Dyna brawf ry' Duw'n ei bryd
Er anfon rhai i wynfyd.

Y Dafarn

Hyfrydle'r dorf afradlon — a lluest
Lloi â phennau gweigion,
A chwi welwch wehilion
Yn un haid o fewn i hon.

Y Dafarn

Ni cheir unlle mwy dychrynllyd — ei chost
Am drin chwant yr ynfyd;
Hafan drygioni hefyd:
Tŵr y bîr — gwter y byd.

In the Pub

Elephants pink after drinking — you'll see
On all sides approaching;
And in here you'll be hearing
Echoes weird when donkeys sing.

Mawn

Is cronglwyd hen aelwydydd — yn noddi
Gwleidyddiaeth a chrefydd,
Awr o dân yn hwyr y dydd
A rôi mawnen o'r mynydd.

Y Meddyg

Dyddiol leddfu'r cystuddiau — dyna'i waith
Dyn yw ef heb oriau;
Gŵr a fyn o hyd gryfhau
Y mur rhyngom a'r angau.

Y Llusern

Tu allan mae tywyllwch — a duwiau
Ein daear mewn dryswch;
Yn ei golau y gwelwch
Lanio draw boed niwl yn drwch.

Corlan

Mae yno 'nghwr y mynydd — arw gerrig
Rhagorol eu deunydd;
Llawr o dail ers llawer dydd
A'r to yr un â'r tywydd.

Cenllysg

Daeth nêdd rhyw bry gogleddol — yn wynion
Belennau cawodol;
A rhoi'n daen ar fryn a dôl
Annifyr haen aeafol.

Amser

Am bob tic ry'r cloc wrth dician — yn mynd
Y mae hwn ymhobman;
A'i fai yw mynnu'n fuan
Ein heddwch yn llwch y Llan.

Dameg

Hanesyn yw, diniwed — i'w goelio
Neu gelwydd â thrwydded;
A'r stori o'i hystyried
Yn rhannu dysg 'rhwn a'i dwêd.

Croeswynt

I'r gymdogaeth dyma'r gwaetha — o chwith
Ei chwythiad gyfeiria;
Yn fythol hwn ddifetha
Eiriau doeth a chyngor da.

Y 'War Ag' (1939/45)

Trwy aflwydd, yn gartrefle — i ddiawliaid
A ddaliodd eu cyfle;
Yno i drin yn y dre
Ddiwydrwydd rhai oedd adre.

Nadolig Drud

I Ganan mae Gŵyl y Geni — yn ddrud
Mae yn ddreng eleni;
O'i dioddef boed ddod iddi
Hedd yn awr weddïwn ni.

Dŵr y Bargod

Hwn glywaf, hithau'n glawio — heb osteg
Daw'n bistyll o'r bondo;
A heb os, dal i biso
Wna tra rhed dŵr ar hyd to.

Y Bunt 1975

Du yw'r bennod o drybini — y bunt
Yw y boen, eleni;
Rhith o aur diwerth yw hi
A hyder dry'n galedi.

Yr Aran

Cartref mynyddig y gigfran — o lif
Y lafa a'r brwmstan;
'Goruchaf rodd o'i grochan
Goron lwyd a gâr 'rhen Lan.

O'i thir sad deuai rhuthr sydyn — a gwaedd
Gwynt pan oeddwn blentyn;
Mynnu wnaf a minnau'n hŷn
Na newidiodd ei nodyn.

Onid i'r Aran, daw'r eira — i aros
A gorwedd y gaea'?
Hynny ddwêd y daw hi'n dda
A chynesach ha' nesa.

O ganol sŵn esgynnwch — i'w chreigiau
Cewch ragor na heddwch
O le uchel chwi welwch
Dyna'r lle'r â dyn i'r llwch.

Llyfryddiaeth

Llên y Llannau 1958,1968,1974,1975,1976,1979,1984,1990.
Y Flodeugerdd o Englynion Ysgafn — Gol. Huw Ceiriog (Christopher Davies 1981).
Tros Gymru — J. E. Jones (Gwasg John Penry Abertawe 1970).
Yr Awen Lawen — Gol. Elwyn Edwards (Cyhoeddiadau Barddas 1989).
Blodeugerdd Penllyn — Gol. Elwyn Edwards (Cyhoeddiadau Barddas 1983).
Cerddi Alan Llwyd — (Cyhoeddiadau Barddas 1990).
Llyfr Mawr Hwyl — (Yr ail lyfr) Pwyllgor Hwyl (Gwasg y Brython).
Wil Sam — Cyfres y Cewri Rhif 5 (Gwasg Gwynedd 1985).
Cyfansoddiadau'r Eisteddfod Genedlaethol — amryw ohonynt (Gwasg Gomer).
Cylchgronnau a phapurau newydd *Y Cymro, Y Faner, Y Cyfnod, Y Seren, Barddas*. Papurau o Ynys Manaw ac Iwerddon, gan gynnwys y *T.T. Special*.
Carwn hefyd ddiolch i'r Llyfrgell Genedlaethol am roi cyfle imi gopïo rhai o lythyrau Robin Jac allan o'r *Cymro*, ac i S.R. Keig, Douglas, Ynys Manaw am gynhyrchu lluniau o safon.